Douze nouvelles contemporaines

ISBN 978-2-7011-9248-2
ISSN 1958-0541

CLASSICOCOLLÈGE

Douze nouvelles contemporaines

Regards sur le monde

Choix des textes et dossier
par Virginie Manouguian
Agrégée de lettres modernes

BELIN ■ GALLIMARD

Sommaire

Introduction

La nouvelle est un genre littéraire qui a connu un essor important au XIXe siècle. Aujourd'hui encore, elle reste le moyen privilégié par les auteurs pour rendre compte des problèmes de la société contemporaine et des relations entre les individus. Ces récits brefs permettent en effet d'aborder les sujets les plus divers (sociaux, politiques...) et de varier les genres narratifs (policier, science-fiction...) ou les registres (réaliste, fantastique...). Ils suscitent le plaisir du lecteur par leur efficacité et par l'action resserrée autour d'une seule intrigue et de quelques personnages. À une époque où les médias et Internet offrent un accès aisé à tout type d'information et une réponse rapide à toute question, les nouvellistes se plaisent au contraire à éveiller la curiosité du lecteur et à ménager un effet d'attente et de surprise, en retardant parfois à loisir la fin, souvent inattendue, de leur récit. À travers leurs nouvelles, ils invitent également le lecteur à poser un regard critique sur le monde qui l'entoure.

Découvrez donc sans plus attendre les douze nouvelles contemporaines qui composent ce recueil et laissez-vous captiver par ces histoires, tantôt graves, tantôt drôles, qui témoignent de notre époque.

Portraits des hommes et des femmes d'aujourd'hui, de la naissance à la mort

Lucien

Claude Bourgeyx

Claude Bourgeyx (né en 1943) publie en 1984 son premier recueil de nouvelles, *Les Petits Outrages*, adapté au théâtre en 2014. Dans le texte suivant, le héros Lucien vit un bonheur sans faille, jusqu'au jour où tout semble basculer…

Lucien était douillettement recroquevillé sur lui-même. C'était sa position favorite. Il ne s'était jamais senti aussi détendu, heureux de vivre. Son corps était au repos, léger, presque aérien. Il se sentait flotter. Pourtant il n'avait absorbé aucune drogue
5 pour accéder à cette sorte de béatitude[1]. Lucien était calme et serein naturellement ; bien dans sa peau, comme on dit. Un bonheur égoïste, somme toute.

La nuit même, le malheureux fut réveillé par des douleurs épouvantables. Il était pris dans un étau[2], broyé par les mâchoires
10 féroces de quelque fléau[3]. Quel était ce mal qui lui fondait dessus[4] ? Et pourquoi sur lui plutôt que sur un autre ? Quelle punition lui était donc infligée ? « C'est la fin », se dit-il.

Il s'abandonna à la souffrance en fermant les yeux, incapable de résister à ce flot qui le submergeait, l'entraînant loin des
15 rivages familiers. Il n'avait plus la force de bouger. Un carcan[5] l'emprisonnait de la tête aux pieds. Il se sentait emporté vers

---

1. **Béatitude** : sentiment de bonheur extrême.
2. **Étau** : outil en forme de mâchoires permettant d'enserrer un objet.
3. **Fléau** : outil agricole utilisé notamment pour battre le blé.
4. **Lui fondait dessus** : s'abattait précipitamment sur lui.
5. **Carcan** : objet qui entrave la liberté (sens métaphorique).

un territoire inconnu qui l'effrayait déjà. Il crut entendre une musique abyssale[1]. Sa résistance faiblissait. Le néant l'attirait.

Un sentiment de solitude l'envahit. Il était seul dans son épreuve.
20 Personne pour l'aider. Il devrait franchir le passage en solitaire. Pas moyen de faire autrement. « C'est la fin », se répéta-t-il.

La douleur finit par être si forte qu'il faillit perdre la raison. Et puis, soudain, ce fut comme si les mains de Dieu l'écartelaient. Une lumière intense l'aveugla. Ses poumons s'embrasèrent.
25 Il poussa un cri.

En le tirant par les pieds, la sage-femme s'exclama, d'une voix tonitruante[2] :

« C'est un garçon ! »

Lucien était né.

1. **Abyssale** : qui venait des profondeurs.
2. **Tonitruante** : très forte.

La Crique

Sylvain Tesson

Journaliste et écrivain français, Sylvain Tesson (né en 1972) reçoit en 2009 le Prix Goncourt de la nouvelle pour son recueil *Une vie à coucher dehors* dont est extrait *La Crique* (voir aussi p. 30 et p. 97). Dans cette nouvelle, à la frontière du fantastique, il analyse avec cruauté les relations de couple.

> « Vous ne trouvez pas, Monsieur, que la nuit est bien vide et d'un noir bien vulgaire depuis qu'elle n'a plus d'apparitions. »
>
> Guy de Maupassant, *La Peur*, 1884[1].

« Là ! »

Tous les soirs, ils cherchaient une crique[2]. Les voyages aux quatre vents rendent exigeant. Il leur fallait un mouillage[3] calme et extrêmement sauvage. La moindre trace de présence humaine
5 déconsidérait[4] tout endroit. Rien ne les déprimait davantage qu'une colonne de fumée plantée dans le moutonnement[5] des arbres. Pas question de partager un paysage avec qui que ce soit. Si une route desservait la plage où le vent les avait conduits, ils viraient de bord. Sur l'eau et dans la vie, le demi-tour garantit

---

1. **Guy de Maupassant** (1850-1893) : écrivain français, célèbre pour ses nouvelles réalistes et fantastiques comme *La Peur* parue dans le journal *Le Figaro* en 1884.
2. **Crique** : petite plage située dans un renfoncement du rivage.
3. **Mouillage** : lieu où un navire peut jeter l'ancre.
4. **Déconsidérait** : ôtait toute valeur à.
5. **Moutonnement** : mouvement du feuillage.

10 le bonheur. L'enfer, ce n'est pas les autres, c'est l'éventualité qu'ils arrivent[1].

L'idéal était une baie profonde et sombre, noyée de végétation avec une crénelure de montagne par-dessus les frondaisons[2]: un paysage comme devaient en voir jaillir les huniers de Cook[3]
15 aux abords des îles. Il y a encore dans les Cyclades[4] de tels parages épargnés par la dent des troupeaux. Des sites homériques[5] où l'on ne serait pas étonné de déranger un troupeau de nymphettes[6] à l'ombre des cyprès[7].

Après le dîner, ils s'asseyaient sur la coupée[8] pour porter des
20 toasts à la lune. Ils tenaient leur verre à bout de bras et le gros disque blanc se déformait dans le whisky. La lune montait de l'est chaque soir, se juchait sur les houppiers[9] et rôdait lentement dans la nuit. Elle ouvrait sur la mer une balafre[10] d'argent.

Ils ne résistaient pas au plaisir de plonger dans le scintillement.
25 Les paillettes mêlées à l'iode[11] de l'Égée revitalisaient la chair. Ils appelaient cela leurs « bains païens[12] ». Nager dans la traînée de lune, c'est prendre un bain de soleil par réflexion. Puis ils remontaient sur le bateau. Écoutes et élingues[13] tissaient autour du mât une lisse[14] d'argent. La nuit s'emplissait de cliquetis.

---

1. Allusion à une réplique extraite de *Huis clos*, pièce de théâtre de l'écrivain et philosophe français Jean-Paul Sartre (1905-1980): « L'enfer, c'est les autres ».
2. Frondaisons: feuillages des arbres.
3. Les huniers de Cook: les voiles des navires de James Cook (1728-1779), navigateur et explorateur britannique.
4. Cyclades: îles grecques situées dans la mer Égée.
5. Sites homériques: lieux évoqués par le poète grec Homère (VIIIe siècle av. J.-C.) dans ses épopées *L'Iliade et L'Odyssée*.
6. Nymphettes: divinités représentant les forces de la nature dans la mythologie grecque.
7. Cyprès: arbres méditerranéens.
8. Coupée: ouverture dans la coque d'un navire.
9. Houppiers: cimes des arbres.
10. Balafre: entaille, cicatrice.
11. Iode: sel marin.
12. Païens: inspirés des croyances polythéistes gréco-latines.
13. Écoutes et élingues: câbles et cordages servant à manier les voiles d'un navire.
14. Lisse: barrière, garde-fou.

30 Tout était bien en ordre sous les étoiles. Le bateau convient aux âmes fragiles que le chaos du monde rebute. À bord, chaque chose a sa place : la coque sur l'eau, le mât dans la coque et le vent dans la voile. Pas un objet qui n'ait son utilité. Ed était encore plus maniaque que Clara. Il rangeait le moindre ustensile dans
35 des boîtes de plastique au couvercle de couleur. Il y en avait une pour les cuillères à manche bleu, une autre pour les cuillères à manche blanc et même une grosse spécialement destinée aux boîtes plus petites.

Tous les ans, ils naviguaient pendant trois semaines. Rien ne
40 dissout mieux les soucis que le sel. Et puis Ed voyageait tellement pendant l'année… Ce bateau était le point vélique[1] de leur amour, le pont des retrouvailles. À la proue[2], le nom peint en lettres bleues : *ad vitam*[3]. Une promesse d'éternité sur l'éphémère des vagues. Habituellement, ils cabotaient le long des côtes dalmates[4]. Mais
45 cette année Ed avait voulu faire à Clara la surprise des Cyclades. Il avait même beaucoup insisté pour lui faire connaître l'Égée, où ses parents voguaient au temps de son enfance.

Après le bain, ils avaient une tradition. Ed demandait :

« Bach ou Sinatra[5] ? »

50 Comme il n'y avait que deux disques sur le bateau, Clara alternait. Un soir, elle disait « Bach » et le lendemain, « Sinatra ». Si elle disait « Bach », Ed demandait :

« *Brandebourgeois* ? »

Et Clara disait :

55 « Cela va bien avec le whisky ! »

---

1. **Vélique** : qui a rapport aux voiles d'un navire.
2. **Proue** : avant du navire.
3. ***Ad vitam*** : expression latine signifiant « pour toujours », « éternellement ».
4. **Ils cabotaient le long des côtes dalmates** : ils naviguaient le long des côtes de la Dalmatie, région littorale de la Croatie et du Monténégro, au bord de la mer Adriatique.
5. **Jean-Sébastien Bach** (1685-1750) : compositeur allemand de musique classique ; **Frank Sinatra** (1915-1998) : chanteur de jazz américain.

D'ailleurs, elle préférait sincèrement Bach. Les *Concertos brandebourgeois* se marient bien aux nuits hellènes[1]. Au bout de deux semaines de navigation, elle connaissait par cœur les concertos. L'oreille guettait chaque battement, chaque reprise algébrique et
60 le cœur était en joie lorsque le mouvement tombait exactement là où elle l'attendait. Écouter c'est reconnaître.

Lors de la nuit du 13 août, le vent du nord poussa une chasse de nuages livides. Les formes s'étiraient, se déchiraient et se présentaient devant la lune comme une charpie[2] de marion-
65 nettes devant un lumignon[3]. Ed servit le Chivas[4] dans les verres. Ils s'allongèrent et contemplèrent les transmutations nubileuses[5].

« Regarde, Clara, une sirène. Non ! Elle a des pattes, c'est une salamandre[6].

– Un ours poursuivi par la mort.

70 – Un nain sur un dauphin : sa barbe pousse.

– Un paysan avec sa faux[7].

– Il danse le flamenco avec une gitane. Elle saute. Elle s'envole. »

Et Bach accompagnait le carnaval des vapeurs hoffmanniennes[8].

« Et là. Une déesse dans un coquillage[9], dit Clara.

75 – Ils n'ont pas eu beaucoup de mérite à inventer leur mythologie avec des nuits pareilles, dit Ed.

– Whisky !

– Tu bois trop. »

---

1. **Hellènes** : grecques.
2. **Charpie** : matière inconsistante, filandreuse.
3. **Lumignon** : lumière faible.
4. **Chivas** : marque de whisky écossais de luxe.
5. **Transmutations nubileuses** : transformations des nuages.
6. **Salamandre** : petit animal amphibien proche de la grenouille.
7. **Faux** : outil agricole utilisé pour couper les herbes et les céréales.
8. **Hoffmanniennes** : relatives à E.T.A. Hoffmann (1776-1822), compositeur et auteur allemand, célèbre notamment pour ses contes fantastiques.
9. Allusion au mythe de la naissance de Vénus, déesse grecque de l'amour, que de nombreux artistes ont représentée sortie d'un coquillage poussé par les flots sur les rives de l'île de Cythère, située dans la mer Égée.

Il chercha des glaçons dans le seau. Il avait installé trois ans auparavant une minuscule machine à glace dans la cambuse[1].

«Je bois parce que tu t'en vas souvent, dit-elle en souriant.

– Je croyais que mes départs te rendaient heureuse, s'amusa-t-il.

– Ce n'est pas drôle.

– Garce ! je sais à quoi tu occupes mes absences ! »

Clara sursauta :

« Quoi ?

– Rien, dit Ed. Celui-là, on dirait un champignon atomique.

– Tu me menaces ? » dit Clara.

Il se leva sur un coude et regarda sa femme.

« Tu rêves, ma chérie, je plaisantais. Je disais que mes départs te réjouissaient peut-être.

– Tu m'as traitée de garce.

– Tu as des voix[2].

– J'espère, dit-elle.

– Viens là. »

Il ouvrit les bras et Clara s'y lova[3]. Ils regardaient la lune. On distinguait aisément la forme sphérique du satellite grêlé de cratères. Comment les peuples antiques avaient-ils pu croire que les planètes étaient des disques plats ?

« Oublions ça, dit Ed doucement.

– Moi, je n'ai rien à me reprocher. »

Il regarda sa femme, les sourcils levés.

« Qu'est-ce que tu veux dire, Clara ? Je devrais me reprocher des choses ?

– Mais…, balbutia Clara.

– Tu voudrais que je change de vie, c'est ça, et que je voyage moins ?

---

1. **Cambuse** : local où sont entreposés les vivres dans un navire.
2. **Tu as des voix** : tu entends des voix.
3. **S'y lova** : s'y blottit.

– Mais je n'ai rien dit ! Je n'ai d'ailleurs jamais rien dit en vingt ans ! T'ai-je empêché une seule fois de t'en aller », rétorqua-t-elle.
110 L'air fâché, il descendit dans la cabine et fouilla dans les tiroirs du carré à la recherche de son coupe-cigare. Il revint sur le pont un Roméo & Juliette n° 3[1] aux lèvres.

« Tu permets, n'est-ce pas ?

– *Of course*[2], dit-elle.

115 – Ma fumée va masquer la lune !

– Sûrement, dit-elle.

– Si on mettait Sinatra ? C'est plus gai quand même.

– Je vais chercher le disque, proposa-t-elle.

Elle se leva et s'engagea dans l'escalier de bois.

120 **– Tu me crois assez naïf pour te laisser sans te surveiller ?** »

Clara se retourna violemment.

« Et là, tu plaisantes encore ? dit-elle.

– Moi ?

– Oui ! C'est un nouveau genre ? Tu ne veux pas que je descende ?

125 – Mais qu'est-ce que tu racontes ? Repose-toi, surveille les verres, je vais le ramener sur le pont, moi, Sinatra.

– Bon ! » dit-elle.

Sinatra chantait, Ed fumait et les voiles du cigare captaient l'obscure lueur lunaire. Il avait pris la main de sa femme. Au
130 large, dans l'ouverture de la baie, le clair de nuit révélait des îles.

« On croirait une femme endormie dans l'eau, dit Ed. Il y a ses fesses qui dépassent, et là une hanche, et là son épaule !

– Oui, c'est vrai.

– Et là ! La croupe[3] qui s'abaisse, c'est élégant, non ? On dirait
135 toi, si je peux oser le parallèle, dit-il.

– Je te croyais assez élégant pour ne pas t'abaisser à le faire.

– Pourquoi dis-tu ça ? C'est blessant, dit Ed.

---

1. **Roméo & Juliette n° 3** : marque de cigares de luxe.
2. ***Of course*** : « bien sûr », en anglais.
3. **Croupe** : arrière du corps.

– Blessant ?

– Oui. Tu me dis que tu me croyais trop élégant pour m'abaisser
140 à faire ce parallèle ?

– Mais tu charries, Ed ! C'est toi qui parles de l'élégance des îles et de leurs croupes qui s'abaissent et de tout ça !

– On devient fou, ma chérie. C'est la pleine lune, ils écrivent des tas de choses là-dessus. Il paraît que les cerveaux humains
145 mutent sous les lunes trop grasses ! »

Ils se turent un moment puis Ed disparut à nouveau dans le carré. Clara écoutait la musique. Lorsqu'elle portait son verre à ses lèvres, les glaçons tintaient.

« Ed ?

150 – Quoi ?

– Remonte ! »

Il passa la tête par le carré, fixa sa femme et la rejoignit sur la banquette.

« Un jour, dit-elle, au tout début, tu m'as dit que pour toi le
155 rêve absolu serait de partir en bateau chaque année pendant quelques jours. Tu me disais ça et moi, je croyais que c'était pour me séduire. Tu t'en souviens, Ed ?

– Oui, c'est vrai, c'était ce que je désirais le plus et c'est exactement ce que nous vivons.

160 – C'est le bonheur, dit-elle.

– Oui ?

– Oui, dit-elle. Continuer à désirer les choses qu'on possède.

– Oui !

– Et nous, nous continuons à désirer ce que nous avons déjà.

165 **– Eh bien, non ! Ce soir, tu te trompes. Et l'autre soir, c'était moi que tu trompais.** »

Clara se leva si brusquement qu'elle renversa son verre sur le pont. Le whisky faisait des petites flaques moirées[1] sur le bois verni.

« Mais tu es dégueulasse, Ed !

---

1. **Moirées** : aux reflets changeants.

170 – Qu'est-ce qui te prend ? »

Ed regarda sa femme d'un air effrayé. Elle se dirigea nerveusement vers la proue, les mains sur le plat-bord. Ed la suivit et la rattrapa par l'épaule. Une larme coulait sur la joue droite de Clara et la lune y faisait un petit éclat.

175 « Écoute, chérie, retournons nous asseoir. Ne gâchons rien. »

Le jazz ondulait doucement. Ils revinrent dans le cockpit[1] et il l'enlaça. Elle tremblait légèrement. Ils dansèrent et le bateau tangua.

Oh yes, yes, yes ! You my little foolish baby, you don't know what
180 *you say...*[2]

« **Tu m'insultes.**

– Mais ne recommence pas, Clara, je ne t'insulte pas ! C'est la musique que tu entends. »

Elle le regarda interloquée[3], les mains sur ses épaules. Elle dit
185 très doucement, de ce ton qu'on emploie avec les grands malades :

« Mais je n'ai rien dit ! Je le sais, chéri, que c'est la musique.

– Tu viens de me dire que je t'insulte !

– Mais tu es fou ! C'est Sinatra : "*You my little foolish baby, you don't know what you say*" ! »

190 Ils s'assirent et reprirent leurs verres. Ed fixait le large. Elle regardait la montagne découper sa crête dans la nuit mercurielle[4].

« **Dis-le que c'est Frank ! Dis-le, car je le sais !** »

Clara bondit sur ses pieds et pointa son mari du doigt.

« Cette fois, tu me fous les jetons, Ed ! Évidemment que c'est
195 Sinatra. Je peux te le répéter autant de fois que tu le veux que c'est Sinatra.

– Mais je...

– Non, tais-toi... »

---

1. **Cockpit** : emplacement situé à l'arrière d'un navire, où se trouve le pilote.
2. Paroles d'une chanson de Frank Sinatra qui signifient en français : « Oh oui, oui, oui ! Toi mon insensée petite chérie, tu ne sais pas ce que tu dis... ».
3. **Interloquée** : stupéfaite, très étonnée.
4. **Mercurielle** : d'aspect brillant et argenté, comme le mercure.

Ed balaya la cendre tombée sur le teck[1] du pont. Il peina à rallumer son havane[2]. Quand il tirait sur le cigare, le bout incandescent[3] pulsait sur son visage des reflets de forge.

« Écoute, ma chérie, calmons-nous. C'est comme si on entendait des voix. Je me demande si on ne devrait pas se tirer d'ici. Tu as froid ? Il faudrait peut-être que tu descendes.

– Non, je n'ai pas froid.

– Tu frissonnes.

– C'est ce que tu me dis qui me glace.

– Il y a quelque chose qui cloche.

– Oui, Ed, tu entends des choses…

– Non, Clara, c'est toi qui dis des trucs… Veux-tu qu'on se couche ?

– Non, non, je veux rester dehors ! Monte-moi mon plaid[4]. »

Ed disparut sous le pont. On entendit le grincement d'un placard. Une effraie[5] invisible criait dans les cyprès.

« **Laisse Frank hors de ça !** »

Par le carré, le crâne d'Ed jaillit du cockpit comme d'une boîte à diable.

« Mais arrêtons avec cette histoire de Sinatra, cria-t-il. Tu cherches quoi ? À nous rendre dingues ? »

Clara éclata en pleurs. Ed fouillait les placards et mit la main sur le plaid dans la cabine avant. Il en couvrit les épaules de sa femme et jeta un coup d'œil à la chaîne pour s'assurer que l'ancre ne chassait[6] pas.

« **Il a avoué, pauvre sotte.**

– Ed ! Je t'interdis ! Avoué quoi ? »

Ed revint vers la poupe.

---

1. **Teck** : plancher en bois de luxe.
2. **Havane** : cigare cubain.
3. **Incandescent** : brûlant.
4. **Plaid** : couverture en laine épaisse.
5. **Effraie** : chouette.
6. **Chassait** : dérivait.

« Clara, je n'ai rien dit. Je n'ai pas ouvert la bouche, dit-il calmement. »

Il s'agenouilla devant sa femme. Elle se tenait le visage dans
230 les mains.

« Si, sanglota-t-elle. Tu étais à l'avant et tu as rugi : "Il a avoué, pauvre sotte" » !

Il ne répondit rien. Il saisit la bouteille de Chivas et alluma la lampe-tempête accrochée au mât de misaine[1].

235 « Je crois qu'on devrait arrêter de boire ce truc-là. Où l'a-t-on acheté ?

– À Patmos[2], dit Clara.

– C'est peut-être une saloperie de contrefaçon ?

– Fous-la à l'eau. »

240 La bouteille décrivit une courbe, accrocha un trait de lune et claqua sur l'eau, loin de la proue. Elle flotta un petit moment puis la mer se referma. Ed prit sa femme dans les bras. Il réfléchissait. Il n'avait jamais navigué de nuit mais avec cette lune et les instruments, ce ne devrait pas être très difficile de rejoindre Samos[3].

245 « **Que vas-tu faire ?**

– Que vais-je faire avec qui ? dit Ed.

– Avec qui, quoi ?

– Ce que je vais faire.

– Comment veux-tu que je le sache ?

250 – Mais pourquoi me le demandes-tu ? »

Cette fois elle explosa.

« Mais tu te fous de moi. Tu es sadique[4] ! Qu'est-ce que tu veux à la fin ?

– **Te saigner**[5] **comme tu le mérites ! Pourquoi crois-tu que je**
255 **t'ai amenée ici ?** »

---

1. **Mât de misaine** : mât situé à l'avant d'un voilier.
2. **Patmos** : île grecque des Cyclades.
3. **Samos** : autre île de l'archipel des Cyclades.
4. **Tu es sadique** : tu prends du plaisir à faire souffrir les autres.
5. **Saigner** : tuer.

Elle hurla et recula jusqu'au plat-bord de proue. Ed s'approcha d'elle, les bras tendus. Il lui souriait, il fallait la calmer, la coucher dans la cabine et, dès qu'elle serait réchauffée, ficher le camp de cet endroit. Il s'avançait. Il souriait, mais le clair de 260 lune pleuvait verticalement sur son visage et ombrait ses traits d'une noirceur laiteuse.

« Ma chérie, ma chérie... »

Il fit un dernier pas. Comment puisa-t-elle la force de le tuer ? Sa main trouva le couteau sur la planche à écailler les poissons. 265 Deux secondes plus tard, Ed, la lame dans la gorge, râlait en titubant[1]. Il la regardait stupidement avec les yeux de celui qui n'est pas prêt et ne conçoit pas que la partie soit déjà finie. Il cogna le bastingage[2] du creux poplité[3] et tomba à l'eau, sans un cri.

À Samos, le commissaire Angelikos fut très bien disposé à l'égard 270 de la jeune femme. Le fait qu'elle se présente d'elle-même aux autorités en pleine nuit quelques heures après la mort de son mari contribua grandement à faire accréditer la légitime défense. Couverture sur les épaules et café brûlant au creux des mains, elle raconta tout : les vingt ans d'amour, les navigations annuelles, 275 la vie comme un doux fleuve, l'arrivée dans la crique de Xéros, le mouillage idyllique et soudain le basculement. La lune, les formes inquiétantes, le whisky, Ed qui était devenu fou, qui avait tenu des propos bizarres puis qui était devenu menaçant et s'était finalement jeté sur elle en disant qu'il allait la saigner. Ensuite, 280 elle avait levé les voiles et cinglé[4] jusqu'au port.

Le commissaire ouvrit un dossier d'enquête pour la forme. Si les choses n'avaient tenu qu'à lui, il aurait classé l'affaire et laissé repartir la jeune femme. Son acquittement[5] était gagné d'avance. Le gros officier se souvint subitement qu'une histoire

1. **Râlait en titubant** : expirait un dernier souffle en chancelant.
2. **Bastingage** : garde-corps, barrière.
3. **Creux poplité** : pli du genou.
4. **Cinglé** : navigué avec hâte.
5. **Acquittement** : arrêt d'une cour de justice déclarant l'accusé non coupable.

285 étrangement similaire avait eu lieu dans la même crique, vingt ans auparavant. Un couple au mouillage à Xéros[1] s'était entre-déchiré sur un petit voilier. L'eau dormante de ce soir d'été avait porté l'écho de la dispute jusqu'aux oreilles d'un pêcheur qui campait sur la plage. Depuis, dans cette partie des Cyclades, on 290 tenait l'endroit pour maudit et aucun plaisancier[2] de la région n'aurait eu l'idée d'y jeter l'ancre. On racontait que l'âme des défunts rôdait par les nuits de grande lune. À Samos, les vieux pêcheurs surnommaient l'endroit « la baie des morts ».

Clara demanda si le commissaire avait gardé le dossier du procès-295 verbal. Il disparut et revint dans son bureau dix minutes plus tard avec un dossier d'archive intitulé « Anse de Xéros, 13 août 1988 ».

Il tendit un papier à Clara :

« Voilà, ce sont leurs dernières paroles, recueillies et retranscrites par le pêcheur :

300 **– Garce ! Je sais à quoi tu occupes mes absences.**

– Moi, je n'ai rien à me reprocher.

– Tu me crois assez naïf pour te laisser sans te surveiller ?

– Je te croyais assez élégant pour ne pas t'abaisser à le faire.

– Eh bien, non ! Ce soir, tu te trompes. Et l'autre soir, c'était 305 **moi que tu trompais.**

– Tu m'insultes.

– Dis-le que c'est Frank ! Dis-le, car je le sais !

– Laisse Frank hors de ça !

– Il a avoué, pauvre sotte.

310 **– Que vas-tu faire ?**

– Te saigner comme tu le mérites ! Pourquoi crois-tu que je t'ai amenée ici ? »

---

1. **Xéros** : île des Cyclades.
2. **Plaisancier** : personne qui navigue sur un bateau de plaisance.

Quand Angèle fut seule…

Pascal Mérigeau

Pascal Mérigeau (né en 1953) est auteur et critique de cinéma (voir Interview, p. 141-143). Originaire des Deux-Sèvres, il fait de cette région le cadre de sa nouvelle *Quand Angèle fut seule…*, parue pour la première fois en 1983 dans la revue *Polar*. L'intrigue évoque en effet le genre policier : l'héroïne, prénommée Angèle, retrace le cours de sa vie après le décès brutal de son mari…

Bien sûr, tout n'avait pas marché comme elle l'aurait souhaité pendant toutes ces années ; mais tout de même, cela lui faisait drôle de se retrouver seule, assise à la grande table en bois. On lui avait pourtant souvent dit que c'était là le moment le plus pénible, le retour du cimetière. Tout s'était bien passé, tout se passe toujours bien d'ailleurs. L'église était pleine. Au cimetière, il lui avait fallu se faire embrasser par tout le village. Jusqu'à la vieille Thibault qui était là, elle qu'on n'avait pas vue depuis un an au moins. Depuis l'enterrement d'Émilie Martin. Et encore, y était-elle seulement, à l'enterrement d'Émilie Martin ? Impossible de se souvenir. Par contre, Angèle aurait sans doute pu citer le nom de tous ceux qui étaient là aujourd'hui. André, par exemple, qui lui faisait tourner la tête, au bal, il y a bien quarante ans de cela. C'était avant que n'arrive Baptiste. Baptiste et ses yeux bleus, Baptiste et ses chemises à fleurs, Baptiste et sa vieille bouffarde[1], qu'il disait tenir de son père, qui lui-même… En fait ce qui lui avait déplu aujourd'hui, ç'avait été de tomber

1. **Bouffarde** : pipe (familier).

nez à nez avec Germaine Richard, à la sortie du cimetière. Celle-là, à soixante ans passés, elle avait toujours l'air d'une catin[1]. Qu'elle était d'ailleurs.

Angèle se leva. Tout cela était bien fini maintenant. Il fallait que la mort quitte la maison. Les bougies tout d'abord. Et puis les chaises, serrées en rang d'oignon le long du lit. Ensuite, le balai. Un coup d'œil au jardin en passant. Non décidément, il n'était plus là, penché sur ses semis[2], essayant pour la troisième fois de la journée de voir si les radis venaient bien. Il n'était pas non plus là-bas, sous les saules. Ni même sous le pommier, emplissant un panier. Vraiment, tout s'était passé très vite, depuis le jour où en se réveillant, il lui avait dit que son ulcère[3] recommençait à le taquiner. Il y était pourtant habitué, depuis le temps. Tout de même, il avait fait venir le médecin. Mais celui-là, il le connaissait trop bien pour s'inquiéter vraiment. D'ailleurs, Baptiste se sentait déjà un peu mieux… Trois semaines plus tard, il faisait jurer à Angèle qu'elle ne les laisserait pas l'emmener à l'hôpital. Le médecin était revenu. Il ne comprenait pas. Rien à faire, Baptiste, tordu de douleur sur son lit, soutenait qu'il allait mieux, que demain, sans doute, tout cela serait déjà oublié. Mais, quand il était seul avec elle, il lui disait qu'il ne voulait pas mourir à l'hôpital. Il savait que c'était la fin, il avait fait son temps. La preuve, d'autres, plus jeunes, étaient partis avant lui… Il aurait seulement bien voulu tenir jusqu'à la Saint-Jean[4]. Mais cela, il ne le disait pas. Angèle le savait, et cela lui suffisait. La Saint-Jean, il ne l'avait pas vue cette année. Le curé était arrivé au soir. Baptiste était mort au petit jour. Le mal qui lui sciait le corps en deux avait triomphé. C'était normal.

---

1. **Catin** : femme aux mœurs légères, prostituée.
2. **Semis** : graines plantées.
3. **Ulcère** : lésion profonde de l'estomac.
4. **Saint-Jean** : fête traditionnelle qui se tient le 24 juin et qui célèbre le retour de l'été par de grands feux de joie.

Angèle ne l'avait pas entendue arriver. Cécile, après s'être changée, était venue voir si elle n'avait besoin de rien. De quoi aurait-elle pu avoir besoin ? Angèle la fit asseoir. Elles parlèrent. Enfin, Cécile parla. De l'enterrement bien sûr, des larmes de
50 quelques-uns, du chagrin de tous. Angèle l'entendait à peine.

Baptiste et elle n'étaient jamais sortis de Sainte-Croix, et elle le regrettait un peu. Elle aurait surtout bien aimé aller à Lourdes[1]. Elle avait dû se contenter de processions[2] télévisées.

Elle l'avait aimé son Baptiste, dès le début, ou presque. Pendant
55 les premières années de leur mariage, elle l'accompagnait aux champs pour lui donner la main. Mais depuis bien longtemps, elle n'en avait plus la force. Alors elle l'attendait, veillant à ce que le café soit toujours chaud, sans jamais être bouillant. Elle avait appris à le surveiller du coin de l'œil, levant à peine le nez de son
60 ouvrage[3]. Et puis, pas besoin de montre. Elle savait quand il lui fallait aller nourrir les volailles, préparer le dîner. Elle savait quand Baptiste rentrait. Souvent Cécile venait lui tenir compagnie. Elle apportait sa couture, et en même temps les nouvelles du village. C'est ainsi qu'un jour elle lui dit, sur le ton de la conversation
65 bien sûr, qu'il lui semblait avoir aperçu Baptiste discutant avec Germaine Richard, près de la vigne. Plusieurs fois au cours des mois qui suivirent, Cécile fit quelques autres « discrètes » allusions. Puis elle n'en parla plus. Mais alors, Angèle savait. Elle ne disait rien. Peu à peu, elle s'était habituée. Sans même avoir eu
70 à y réfléchir, elle avait décidé de ne jamais en parler à Baptiste, ni à personne. C'était sa dignité. Cela avait duré jusqu'à ce que Baptiste tombe malade pour ne plus jamais se relever. Cela avait duré près de vingt ans. Son seul regret, disait-elle parfois, était de n'avoir pas eu d'enfants. Elle ne mentait pas. Encore une
75 raison de détester la Germaine Richard d'ailleurs, car elle, elle

---

1. **Lourdes** : lieu de pèlerinage catholique, situé dans les Hautes-Pyrénées.
2. **Processions** : cortèges religieux accompagnés de chants et de prières.
3. **Ouvrage** : travail de couture ou de broderie.

avait un fils, né peu de temps après la mort de son père ; Edmond Richard, un colosse[1] aux yeux et aux cheveux noirs avait été emporté en quelques semaines par un mal terrible, dont personne n'avait jamais rien su. Le fils Richard, on ne le connaissait pas à Sainte-Croix. Il avait été élevé par une tante à Angers. Un jour cependant, c'était juste avant que Baptiste ne tombe malade, il était venu voir sa mère. Cécile était là, bien sûr, puisque Cécile est toujours là quand il se passe quelque chose. Elle lui avait trouvé un air niais avec ses grands yeux délavés. Angèle en avait semblé toute retournée.

Cécile était partie maintenant. La nuit était tombée. Angèle fit un peu de vaisselle. Elle lava quelques tasses, puis la vieille cafetière blanche, maintenant inutile, puisque Angèle ne buvait jamais de café. Elle la rangea tout en haut du bahut[2]. Sous l'évier, elle prit quelques vieux pots à confitures vides. À quoi bon faire des confitures, elle en avait un plein buffet. Elle prit également quelques torchons, un paquet de mort-aux-rats[3] aux trois quarts vide, et s'en alla mettre le tout aux ordures. Il y avait bien vingt ans qu'on n'avait pas vu un rat dans la maison.

1. **Colosse** : homme de grande taille et d'une très grande force.
2. **Bahut** : buffet, grand meuble large et bas.
3. **Mort-aux-rats** : produit toxique utilisé pour empoisonner les rongeurs.

Cauchemar en gris

Fredric Brown

Fredric Brown (1906-1972) est un écrivain américain, auteur de récits policiers et de science-fiction. En 1963, il publie *Fantômes et Farfafouilles*, qui regroupe plusieurs nouvelles comme *Cauchemar en jaune*, *Cauchemar en blanc* ou *Cauchemar en gris*. Dans celle-ci, le personnage principal se rend à ce qu'il croit être son premier rendez-vous amoureux.

Il se réveilla avec une merveilleuse sensation de bien-être savourant l'éclat et la douce chaleur du soleil, dans l'air printanier. Il s'était assoupi sans bouger sur le banc du jardin public; son somme n'avait pas duré une demi-heure.

5 Le jardin resplendissait du vert du printemps; c'était une journée magnifique et il était jeune amoureux. Merveilleusement amoureux, amoureux à en avoir le vertige. Et heureux en amour: la veille il s'était déclaré à Susan dans la soirée et elle avait dit oui. Pour être précis, elle ne lui avait pas dit oui, mais elle l'avait 10 invité à venir, aujourd'hui dimanche, dans l'après-midi, faire la connaissance de ses parents. Elle avait dit:

«J'espère que vous les aimerez et qu'eux vous aimeront… qu'ils vous aimeront autant que je vous aime.»

Si ce n'était pas là l'équivalent d'un oui, qu'était-ce?

15 Adorable Susan aux doux cheveux sombres, aux tendres taches de rousseur à peine marquées, aux grands yeux noirs si doux…

On en était enfin à ce «milieu d'après-midi» où Susan lui avait dit de venir. Il se leva de son banc et, un peu engourdi par sa sieste, il s'étira voluptueusement.

stretched numb

Puis il se mit en route vers la maison, à quelques centaines de mètres. Une promenade agréable sous le beau soleil, par ce beau jour de printemps.

Il monta les marches du perron[1], frappa à la porte. La porte s'ouvrit et, pendant une fraction de seconde, il crut que c'était Susan elle-même qui lui ouvrait. Mais la jeune fille ressemblait seulement à Susan. Sa sœur, sans doute. La veille, elle lui avait en effet parlé d'une sœur. Son aînée d'un an seulement.

Il s'inclina et se présenta, demanda à voir Susan. Il eut l'impression que la jeune fille le regardait d'un air bizarre, mais elle se contenta de lui dire :

« Entrez, je vous prie. Elle n'est pas là pour l'instant, mais si vous voulez bien attendre au salon, là… »

Il s'assit et attendit au salon, là. C'était bizarre qu'elle fût sortie. Même pour peu de temps.

C'est alors qu'il entendit la voix, la voix de la jeune fille qui lui avait ouvert la porte, la jeune fille parlait dans l'entrée et, mû[2] par une inexplicable curiosité il se leva et alla coller son oreille contre la porte. La jeune fille parlait, semble-t-il, au téléphone.

« Harry ? Je t'en prie, rentre immédiatement. Et ramène le docteur ! Oui, c'est grand-père… Non, pas une nouvelle crise cardiaque… Non. C'est comme la dernière fois où il a eu une crise d'amnésie[3] et où il a cru que grand-mère était encore… Non, ce n'est pas de la démence sénile[4], Harry, il a décroché de cinquante ans cette fois… Il est revenu à l'époque où il n'avait pas encore épousé grand-mère. »

Très vieux soudain, vieilli de cinquante ans en cinquante secondes, grand-père se mit à sangloter sans bruit, appuyé contre la porte.

---

1. **Perron** : escalier extérieur devant l'entrée d'une habitation.
2. **Mû** : poussé.
3. **Amnésie** : perte de la mémoire.
4. **Démence sénile** : perte de la raison due à l'âge.

La Particule

Sylvain Tesson

L'écrivain et journaliste Sylvain Tesson (né en 1972) est passionné de voyages. Il a sillonné l'Asie à plusieurs reprises et traversé l'Himalaya à pied. Il fait ainsi du Népal – pays situé au cœur de cette montagne – le point de départ de sa nouvelle *La Particule*, extraite du recueil *Une vie à coucher dehors* paru en 2009 (voir aussi p. 12 et p. 97). Il interroge dans ce texte la destinée humaine à travers la voix d'un étonnant narrateur qui entame un long et chaotique voyage.

Mon histoire est pathétique[1]. Ces dernières années, je quittai le corps d'un brahmane[2] sur l'esplanade des crémations[3] du temple de Pashupati[4]. Les flammes montaient très haut dans le soir et leurs reflets dansaient dans les larmes de la famille et sur le courant de la Baghmati[5]. Je fus pulsée à la verticale du brasier dans l'air chaud et les relents de chair grillée. Je montai aux étoiles, la brise de la nuit me rabattit à la surface de la rivière. Je fus plongée dans la soupe de la Baghmati, ce ruban de boue où les hommes trempent leur corps pour purifier leur âme. Je roulai jusqu'au Gange[6] dans un flot indistinct d'alluvions[7] et d'ordures.

---

1. **Pathétique** : triste et émouvante.
2. **Brahmane** : prêtre de la religion hindoue.
3. **L'esplanade des crémations** : place sur laquelle sont brûlés les corps des personnes décédées.
4. **Pashupati** : autre nom de Shiva, divinité hindoue.
5. **Baghmati** : rivière de la vallée de Katmandou au Népal.
6. **Gange** : fleuve comptant parmi les sept rivières sacrées de l'Inde.
7. **Alluvions** : débris de sédiments (vase, sable, galets) transportés par les cours d'eau.

À peine dans les eaux du fleuve, je fus filtrée par les ouïes d'une perche[1]. Je séjournai quelques heures dans la cathédrale de dentelle rouge sang des branchies : le poisson paressait entre deux eaux, dans une tache de soleil. Un silure[2] surgit des profondeurs et dévora la perche. Je fus sertie[3] dans sa chair, près de l'épine dorsale[4]. Je voguai en lui des centaines de kilomètres. Le silure nageait sans répit, en quête de proies. Il finit sa course dans le filet d'un pêcheur et je sentis à nouveau la caresse des flammes sur le feu où le poisson grilla longuement. Puis les dents d'une fillette déchirèrent la chair grillée et je plongeai en elle pour m'incruster dans ses tissus. Alors, quelles courses ! Employée aux récoltes, la petite fille foulait tout au long du jour les allées des plantations de thé et dénudait les arbustes de ses doigts tricoteurs. Les saris[5] des femmes mouchetaient[6] la nappe vert bronze des plants de thé. Au milieu d'elles, des gardes armés de longs bâtons veillaient contre les attaques des léopards. Ces fauves mettent bas[7] à l'ombre des buissons de thé et attaquent régulièrement les ouvrières. Ce matin-là, personne ne vit la bête. Les mâchoires arrachèrent la gorge de ma cueilleuse. Son sanglot se noya dans un clapotis. Il la dévora sur place. Quittant les replis graciles[8] d'une petite intouchable[9], j'intégrai les fibres musculeuses d'un félin. Un matin, un coup de feu déchira la brume. Le léopard touché au flanc[10] courut trois minutes, se hissa sur le versant d'une colline et mourut. Son corps se décomposa, caché dans les

---

1. **Ouïes ou branchies** : organes respiratoires des poissons ; **perche** : poisson d'eau douce.
2. **Silure** : grand poisson d'eau douce.
3. **Sertie** : incrustée comme une pierre précieuse dans un bijou.
4. **Épine dorsale** : colonne vertébrale.
5. **Saris** : vêtements traditionnels portés par les femmes indiennes.
6. **Mouchetaient** : tachetaient de couleurs.
7. **Mettent bas** : donnent naissance à leurs petits.
8. **Graciles** : minces et fins.
9. **Intouchable** : personne issue de la caste sociale la plus basse dans les pays hindouistes.
10. **Flanc** : côté.

buissons ; le chasseur ne le retrouva pas. Des colonies d'insectes et des oiseaux charognards[1] se disputèrent la pourriture. Je n'eus pas le temps de me dissoudre dans de la chitine d'élytre[2], car la mousson[3] s'abattit et les ruissellements emportèrent ce que becs et mandibules[4] n'avaient pu dévorer. Mêlée aux eaux qui nappaient le sol, je coulai vers les plantations et fus absorbée par la terre. Il y faisait chaud. Je m'infiltrai entre les granules de sable et les cristaux d'argile. La radicelle[5] d'un arbuste m'aspira et me propulsa dans la tige. La succion de la sève[6] m'injecta dans la nervure d'une feuille. J'étais prisonnière du flux chlorophyllien[7] d'un théier du Bengale[8]. La récolte me délivra à la saison suivante. Courte illusion : je fus enfermée dans un sac de tissu puis dans les caissons de séchage[9] d'une fabrique et enfin dans une boîte d'*Earl Grey*[10] destinée à l'exportation. La boîte reposa trois mois sur le rayonnage d'une épicerie de Plymouth en Angleterre. Un client l'acheta et le couvercle se souleva. Une narine huma[11] le thé. Une cataracte bouillante créa un petit tourbillon dans la tasse de porcelaine, puis le champignon atomique du lait explosa dans le thé. Je coulai dans la trachée[12] d'un jeune Anglais et m'épanouis dans sa viande. L'homme partit en avion pour l'Inde le soir même et, huit heures de vol plus tard, il retrouvait à l'aéroport de Delhi[13] une jeune fille à laquelle il témoigna de son impatience en l'étreignant, sitôt gagnée l'intimité d'une

---

1. **Charognards** : qui se nourrissent de carcasses d'animaux morts.
2. **Chitine d'élytre** : matière organique qui recouvre les ailes des insectes.
3. **Mousson** : pluie abondante.
4. **Mandibules** : mâchoires des insectes.
5. **Radicelle** : plus petite racine d'une plante.
6. **La succion de la sève** : l'aspiration du liquide qui circule dans les végétaux.
7. **Flux chlorophyllien** : circulation qui permet aux végétaux de produire de l'oxygène.
8. **Théier du Bengale** : arbre à thé d'une région de l'Inde.
9. **Caissons de séchage** : caisses dans lesquelles les feuilles de thé sont mises à sécher.
10. ***Earl Grey*** : variété de thé.
11. **Huma** : sentit.
12. **Trachée** : gorge.
13. **Delhi** : ville du nord de l'Inde.

chambre d'hôtel. Dans la moiteur de la nuit de mousson, je fus transmise à la jeune femme et m'installai dans son organisme. Pendant une semaine, j'entrepris un vaste circuit métabolique[1]. Au cours d'une transfusion à l'hôpital militaire d'Old-Delhi, je fus distillée[2] dans les veines d'un jeune hémophile[3] indien que la jeune femme sauva en offrant son sang. L'enfant fut guéri. Il grandit, moi en lui.

C'était un brahmane qui eut une vie heureuse, mais qui est mort ce matin et que l'on vient de porter sur l'esplanade des crémations dans le temple de Pashupati, au bord de la Baghmati. Et je sens déjà courir les flammes du bûcher.

Et moi, misérable particule, cellule anonyme, pauvre poussière d'atome, je vous supplie, ô dieux du ciel, de me donner le repos, de me délivrer du cycle et de me laisser gagner le néant…

1. **Métabolique** : relatif à l'ensemble des réactions chimiques qui se produisent dans le corps humain.
2. **Je fus distillée** : je me répandis.
3. **Hémophile** : atteint d'hémophilie, maladie qui affecte la circulation sanguine.

Arrêt sur lecture 1

Un quiz pour commencer

Cochez les bonnes réponses.

1 *Qui est Lucien dans la nouvelle du même nom ?*

- ❒ Un homme qui meurt dans d'atroces souffrances.
- ❒ Un nouveau-né.
- ❒ Un médecin.

2 *Dans* La Crique, *pourquoi Ed et Clara se trouvent-ils sur un bateau ?*

- ❒ Parce qu'ils participent à une course de voiliers en Méditerranée.
- ❒ Parce qu'ils font une croisière en amoureux dans l'archipel des Cyclades.
- ❒ Parce qu'ils font des fouilles archéologiques en Grèce.

3 *À quoi correspondent les paroles écrites en gras ?*

- ❒ Aux paroles d'Ed et de Clara.
- ❒ Aux paroles des chansons que les personnages écoutent.
- ☒ Aux paroles d'un couple décédé des années auparavant.

4 *Dans* Quand Angèle fut seule..., *qui est Germaine Richard ?*

- ❒ Une amie d'Angèle.
- ☒ La maîtresse de Baptiste.
- ❒ La sœur de Baptiste.

5 *Pourquoi Angèle a-t-elle eu besoin de mort-aux-rats ?*

- ❒ Pour se débarrasser des rongeurs qui envahissent sa maison.
- ☒ Pour empoisonner son époux qui la trompait.
- ❒ Pour se suicider après la mort de son époux.

6 *Dans* Cauchemar en gris, *de quel trouble souffre le personnage principal ?*

- ❒ Il souffre d'insomnie.
- ☒ Il souffre d'amnésie.
- ❒ Il souffre d'hystérie.

7 *Pourquoi ne peut-il pas voir Susan ?*

- ❒ Parce qu'elle a déménagé.
- ❒ Parce qu'elle refuse de le voir.
- ☒ Parce qu'elle est décédée.

8 *Sur quel continent l'intrigue de* La Particule, *se déroule-t-elle ?*

- ❒ En Europe.
- ☒ En Asie.
- ❒ En Afrique.

Des questions pour aller plus loin

→ *Découvrir les caractéristiques de la nouvelle à chute*

Des récits brefs et une action resserrée

1 Observez la longueur des cinq nouvelles de cette première partie. Que pouvez-vous en déduire ?

2 Recopiez et complétez le tableau suivant. Quelles remarques pouvez-vous faire sur le cadre spatio-temporel et sur le nombre de personnages dans ces trois nouvelles ?

	Lucien	*La Crique*	*Quand Angèle fut seule...*
Personnages			
Lieu de l'action			
Durée de l'action			

3 Les personnages des nouvelles *Quand Angèle fut seule...* et *Cauchemar en gris* sont-ils caractérisés de façon précise et détaillée ? Justifiez votre réponse.

4 Relisez le début des nouvelles *La Crique* et *Quand Angèle fut seule...* Quels éléments indiquent que les récits s'ouvrent alors que l'action a déjà commencé ? Comment appelle-t-on ce type d'incipit ?

5 Quels moments clés de la vie sont racontés dans chacune de ces nouvelles ? Laquelle présente une période de vie plus longue ? Pourquoi ?

Des chutes surprenantes

6 Quand l'identité du personnage principal de *Lucien* et de *Cauchemar en gris* est-elle révélée ? Quel est l'effet produit ?

7 Dans ces deux nouvelles, quels indices auraient pu alerter le lecteur au fil du récit et le préparer à la chute ?

8 Observez les lignes 284-293 dans *La Crique* et dites quel est le temps majoritairement employé. Quel événement passé permet d'expliquer les voix entendues par Ed et Clara ?

9 Quel est le point de vue adopté dans *La Particule* ? En quoi rend-il la fin du texte particulièrement surprenante pour le lecteur ?

Zoom sur *Quand Angèle fut seule...* (p. 24-27)

10 Relevez les termes employés par Angèle pour désigner Germaine Richard. Quelle relation les deux femmes entretiennent-elles ?

11 Comparez le portrait du fils de Germaine Richard à ceux d'Edmond Richard et de Baptiste. Que remarquez-vous ? D'après vous, pourquoi Angèle est-elle « toute retournée » (l. 85) ?

12 Recopiez l'axe chronologique ci-dessous et placez les différents événements évoqués dans le texte. Quels sont les retours en arrière effectués par le narrateur et les moments passés sous silence ? Que nous apprennent-ils sur la relation entre Angèle et Baptiste ?

40 ans avant | 20 ans avant | Enterrement de Baptiste

13 En vous appuyant sur vos réponses aux questions précédentes, comment interprétez-vous les derniers gestes d'Angèle ?

14 À quel genre de récit cette nouvelle pourrait-elle s'apparenter selon vous ? Justifiez votre réponse.

✔ *Rappelez-vous !*

• La nouvelle est un **récit bref** qui se caractérise par un cadre spatio-temporel limité, un nombre de personnages restreint et une action resserrée autour d'un événement précis. La fin, appelée **« chute »**, est souvent surprenante pour le lecteur.

• Il existe **différents types de nouvelles** : des nouvelles réalistes (*Cauchemar en gris*), des nouvelles **fantastiques** (*La Crique*) ou encore des nouvelles **policières** (*Quand Angèle fut seule...*).

De la lecture à l'écriture

Des mots pour mieux écrire

1 *Complétez les phrases suivantes à l'aide des mots ci-dessous. Vous effectuerez tous les accords nécessaires.*

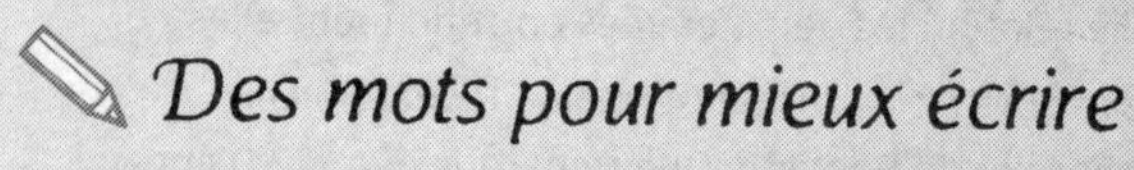

a. La naissance de Lucien est présentée comme un moment d'intense ________________.

b. Au début de leur promenade en bateau, Ed et Clara sont ________________, mais très vite d'étranges voix viennent perturber leur tranquillité.

c. Angèle est ________________ lorsqu'elle découvre que son mari a eu un enfant avec une autre femme.

d. La petite-fille de Susan est ________________ de voir que son grand-père ne la reconnaît pas et a perdu la mémoire.

e. Les brahmanes sont des prêtres hindous qui enseignent comment atteindre le bonheur extrême, la ________________.

2 ***Reliez chacun des termes du récit et de la nouvelle à la définition qui convient.***

Analepse	•	•	Fin inattendue d'une nouvelle
Ellipse	•	•	Début d'un récit dans lequel le lecteur est plongé alors que l'histoire a déjà commencé
Chute	•	•	Narrateur qui sait tout des personnages
Incipit *in medias res*	•	•	Retour en arrière
Narrateur omniscient	•	•	Période passée sous silence

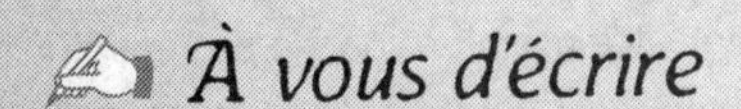

À vous d'écrire

1 **Sujet d'imagination.** Germaine Richard rend visite à Angèle et l'accuse du meurtre de Baptiste. Imaginez le dialogue entre les deux femmes.

Consigne Votre texte, d'une trentaine de lignes, mettra en valeur les sentiments des personnages et opposera leurs arguments respectifs. Vous veillerez à respecter les règles de présentation du dialogue (tirets, guillemets) et à varier les verbes de parole.

2 **Sujet de réflexion.** Avez-vous peur de grandir ?

Consigne Vous présenterez votre réflexion à la première personne du singulier dans un développement argumenté et organisé d'une trentaine de lignes.

Du texte à l'image

Martial Raysse, *Nissa bella*, report photographique sur feutrine, acrylique et néon sur toile, 1964, musée d'Art moderne et d'Art contemporain, Nice.

➡ **Image reproduite en couverture.**

Lire l'image

1 Décrivez précisément l'image (techniques employées, couleurs, composition, attitude du personnage).

2 Caractérisez le regard de la femme représentée. Vous rappelle-t-il celui d'une autre femme dans un célèbre tableau de Léonard de Vinci ? Dans quelle mesure peut-on dire que Martial Raysse opère ici un jeu entre tradition et modernité ?

Comparer le texte et l'image

3 À quels personnages féminins de cette première partie du recueil cette image vous fait-elle penser ? Justifiez votre réponse en vous appuyant sur des éléments précis des textes.

4 Quelle image de la femme moderne cette œuvre et les nouvelles que vous venez de lire donnent-elles ?

À vous de créer

5 B2i Rendez-vous sur le site du musée où est exposée l'œuvre de Martial Raysse : **http://www.mamac-nice.org/** Cliquez sur l'onglet « Collection permanente », puis sur « Les artistes » et sélectionnez « Martial Raysse » dans la liste proposée. À l'aide des informations données dans la section « Espace public » et d'un logiciel de traitement de texte et d'image, réalisez une présentation de l'artiste et de son œuvre sous la forme d'un diaporama que vous présenterez à vos camarades.

Regards sur l'Histoire du XXe siècle

Pauvre petit garçon !

Dino Buzzati

Journaliste, critique littéraire et écrivain italien, Dino Buzzati (1906-1972) devient célèbre en 1940 avec son roman *Le Désert des Tartares*, qui paraît alors qu'il est correspondant de guerre pour un journal. Marqué par la Seconde Guerre mondiale, il s'en inspire pour composer ses textes. C'est le cas dans la nouvelle qui suit, extraite du recueil *Le K* paru en Italie en 1966, et qui traduit le regard lucide, souvent teinté d'humour, que l'auteur porte sur l'Histoire du XXe siècle.

Comme d'habitude, Mme Klara emmena son petit garçon, cinq ans, au jardin public, au bord du fleuve. Il était environ trois heures. La saison n'était ni belle ni mauvaise, le soleil jouait à cache-cache et le vent soufflait de temps à autre, porté par le fleuve.

On ne pouvait pas dire non plus de cet enfant qu'il était beau, au contraire, il était plutôt pitoyable même, maigrichon, souffreteux, blafard[1], presque vert, au point que ses camarades de jeu, pour se moquer de lui, l'appelaient Laitue. Mais d'habitude les enfants au teint pâle ont en compensation d'immenses yeux noirs qui illuminent leur visage exsangue[2] et lui donnent une expression pathétique[3]. Ce n'était pas le cas de Dolfi ; il avait de petits yeux insignifiants qui vous regardaient sans aucune personnalité.

Ce jour-là, le bambin surnommé Laitue avait un fusil tout neuf qui tirait même de petites cartouches, inoffensives bien sûr, mais c'était quand même un fusil ! Il ne se mit pas à jouer avec les

---

1. **Souffreteux** : dont la santé est fragile ; **blafard** : très pâle.
2. **Exsangue** : très pâle, livide.
3. **Pathétique** : triste et émouvante.

autres enfants car d'ordinaire ils le tracassaient, alors il préférait rester tout seul dans son coin, même sans jouer. Parce que les animaux qui ignorent la souffrance de la solitude sont capables de s'amuser tout seuls, mais l'homme au contraire n'y arrive pas
20 et s'il tente de le faire, bien vite une angoisse encore plus forte s'empare de lui.

Pourtant quand les autres gamins passaient devant lui, Dolfi épaulait son fusil[1] et faisait semblant de tirer, mais sans animosité[2], c'était plutôt une invitation, comme s'il avait voulu leur dire :

25 « Tiens tu vois, moi aussi aujourd'hui j'ai un fusil. Pourquoi est-ce que vous ne me demandez pas de jouer avec vous ? »

Les autres enfants éparpillés dans l'allée remarquèrent bien le nouveau fusil de Dolfi. C'était un jouet de quatre sous, mais il était flambant neuf, et puis il était différent des leurs et cela
30 suffisait pour susciter leur curiosité et leur envie. L'un d'eux dit :

« Hé ! vous autres ! vous avez vu la Laitue, le fusil qu'il a aujourd'hui ? »

Un autre dit :

« La Laitue a apporté son fusil seulement pour nous le faire voir
35 et nous faire bisquer[3] mais il ne jouera pas avec nous. D'ailleurs il ne sait même pas jouer tout seul. La Laitue est un cochon. Et puis son fusil, c'est de la camelote[4] !

– Il ne joue pas parce qu'il a peur de nous, dit un troisième. »

Et celui qui avait parlé avant :

40 « Peut-être, mais n'empêche que c'est un dégoûtant ! »

Mme Klara était assise sur un banc, occupée à tricoter, et le soleil la nimbait d'un halo[5]. Son petit garçon était assis, bêtement désœuvré[6], à côté d'elle, il n'osait pas se risquer dans l'allée avec

---

1. **Épaulait son fusil** : plaçait son fusil contre son épaule pour se préparer à tirer.
2. **Animosité** : sentiment d'agressivité envers quelqu'un.
3. **Bisquer** : enrager (familier).
4. **Camelote** : objet sans valeur, de mauvaise qualité (familier).
5. **La nimbait d'un halo** : l'entourait de lumière.
6. **Désœuvré** : inoccupé.

son fusil et il le manipulait avec maladresse. Il était environ trois heures et dans les arbres de nombreux oiseaux inconnus faisaient un tapage[1] invraisemblable, signe peut-être que le crépuscule[2] approchait.

« Allons, Dolfi, va jouer, l'encourageait Mme Klara, sans lever les yeux de son travail.

– Jouer avec qui ?

– Mais avec les autres petits garçons, voyons ! vous êtes tous amis, non ?

– Non, on n'est pas amis, disait Dolfi. Quand je vais jouer ils se moquent de moi.

– Tu dis cela parce qu'ils t'appellent Laitue ?

– Je veux pas qu'ils m'appellent Laitue !

– Pourtant moi je trouve que c'est un joli nom. À ta place, je ne me fâcherais pas pour si peu. »

Mais lui, obstiné :

« Je veux pas qu'on m'appelle Laitue ! »

Les autres enfants jouaient habituellement à la guerre et ce jour-là aussi. Dolfi avait tenté une fois de se joindre à eux, mais aussitôt ils l'avaient appelé Laitue et s'étaient mis à rire. Ils étaient presque tous blonds, lui au contraire était brun, avec une petite mèche qui lui tombait sur le front en virgule. Les autres avaient de bonnes grosses jambes, lui au contraire avait de vraies flûtes maigres et grêles[3]. Les autres couraient et sautaient comme des lapins, lui, avec sa meilleure volonté, ne réussissait pas à les suivre. Ils avaient des fusils, des sabres, des frondes, des arcs, des sarbacanes[4], des casques. Le fils de l'ingénieur Weiss avait même une cuirasse brillante comme celle des hussards[5]. Les autres,

---

1. **Tapage** : bruit assourdissant.
2. **Crépuscule** : tombée de la nuit.
3. **Grêles** : extrêmement longues et minces.
4. **Frondes** : lance-pierres ; **sarbacanes** : longs tubes creux servant à lancer de petits projectiles par la force du souffle.
5. **Cuirasse** : armure ; **hussards** : militaires d'un corps de cavalerie.

qui avaient pourtant le même âge que lui, connaissaient une quantité de gros mots très énergiques et il n'osait pas les répéter. Ils étaient forts et lui faible.

Mais cette fois lui aussi était venu avec un fusil.

C'est alors qu'après avoir tenu conciliabule[1] les autres garçons s'approchèrent :

« Tu as un beau fusil, dit Max, le fils de l'ingénieur Weiss. Fais voir. »

Dolfi sans le lâcher laissa l'autre l'examiner.

« Pas mal », reconnut Max avec l'autorité d'un expert.

Il portait en bandoulière une carabine à air comprimé qui coûtait au moins vingt fois plus que le fusil. Dolfi en fut très flatté.

« Avec ce fusil, toi aussi tu peux faire la guerre, dit Walter en baissant les paupières avec condescendance[2].

– Mais oui, avec ce fusil, tu peux être capitaine » dit un troisième.

Et Dolfi les regardait émerveillé. Ils ne l'avaient pas encore appelé Laitue. Il commença à s'enhardir.

Alors ils lui expliquèrent comment ils allaient faire la guerre ce jour-là. Il y avait l'armée du général Max qui occupait la montagne et il y avait l'armée du général Walter qui tenterait de forcer le passage. Les montagnes étaient en réalité deux talus herbeux couverts de buissons ; et le passage était constitué par une petite allée en pente. Dolfi fut affecté à l'armée de Walter avec le grade de capitaine. Et puis les deux formations se séparèrent, chacune allant préparer en secret ses propres plans de bataille.

Pour la première fois, Dolfi se vit prendre au sérieux par les autres garçons. Walter lui confia une mission de grande responsabilité : il commanderait l'avant-garde[3]. Ils lui donnèrent comme escorte deux bambins à l'air sournois[4] armés de fronde

---

1. **Après avoir tenu conciliabule** : après s'être réunis en secret pour mettre au point une stratégie.
2. **Condescendance** : attitude de supériorité méprisante.
3. **Avant-garde** : groupe de combattants qui se trouvent à l'avant des troupes armées.
4. **Sournois** : hypocrite, qui dissimule quelque chose.

et ils l'expédièrent en tête de l'armée, avec l'ordre de sonder[1] le passage. Walter et les autres lui souriaient avec gentillesse. D'une façon presque excessive.

Alors Dolfi se dirigea vers la petite allée qui descendait en pente raide. Des deux côtés, les rives herbeuses avec leurs buissons. Il était clair que les ennemis, commandés par Max, avaient dû tendre une embuscade[2] en se cachant derrière les arbres. Mais on n'apercevait rien de suspect.

« Hé ! capitaine Dolfi, pars immédiatement à l'attaque, les autres n'ont sûrement pas encore eu le temps d'arriver, ordonna Walter sur un ton confidentiel. Aussitôt que tu es arrivé en bas, nous accourons et nous y soutenons leur assaut[3]. Mais toi, cours, cours le plus vite que tu peux, on ne sait jamais… »

Dolfi se retourna pour le regarder. Il remarqua que tant Walter que ses autres compagnons d'armes avaient un étrange sourire. Il eut un instant d'hésitation.

« Qu'est-ce qu'il y a ? demanda-t-il.

– Allons, capitaine, à l'attaque ! » intima[4] le général.

Au même moment, de l'autre côté du fleuve invisible, passa une fanfare militaire. Les palpitations émouvantes de la trompette pénétrèrent comme un flot de vie dans le cœur de Dolfi qui serra fièrement son ridicule petit fusil et se sentit appelé par la gloire.

« À l'attaque, les enfants ! » cria-t-il, comme il n'aurait jamais eu le courage de le faire dans des conditions normales.

Et il se jeta en courant dans la petite allée en pente.

Au même moment un éclat de rire sauvage éclata derrière lui. Mais il n'eut pas le temps de se retourner. Il était déjà lancé et d'un seul coup, il sentit son pied retenu. À dix centimètres du sol, ils avaient tendu une ficelle.

---

1. **Sonder** : explorer.
2. **Embuscade** : piège.
3. **Assaut** : attaque.
4. **Intima** : ordonna.

Il s'étala de tout son long par terre, se cognant douloureusement le nez. Le fusil lui échappa des mains. Un tumulte de cris et de coups se mêla aux échos ardents de la fanfare. Il essaya de se relever mais les ennemis débouchèrent des buissons et le bombardèrent de terrifiantes balles d'argile pétrie avec de l'eau. Un de ces projectiles le frappa en plein sur l'oreille le faisant trébucher de nouveau. Alors ils sautèrent tous sur lui et le piétinèrent. Même Walter, son général, même ses compagnons d'armes !

« Tiens ! attrape, capitaine Laitue. »

Enfin il sentit que les autres s'enfuyaient, le son héroïque de la fanfare s'estompait au-delà du fleuve. Secoué par des sanglots désespérés il chercha tout autour de lui son fusil. Il le ramassa. Ce n'était plus qu'un tronçon de métal tordu. Quelqu'un avait fait sauter le canon, il ne pouvait plus servir à rien.

Avec cette douloureuse relique[1] à la main, saignant du nez, les genoux couronnés[2], couvert de terre de la tête aux pieds, il alla retrouver sa maman dans l'allée.

« Mon Dieu ! Dolfi, qu'est-ce que tu as fait ? »

Elle ne lui demandait pas ce que les autres lui avaient fait mais ce qu'il avait fait, lui. Instinctif dépit[3] de la brave ménagère qui voit un vêtement complètement perdu. Mais il y avait aussi l'humiliation de la mère : quel pauvre homme deviendrait ce malheureux bambin ? Quelle misérable destinée l'attendait ? Pourquoi n'avait-elle pas mis au monde, elle aussi, un de ces garçons blonds et robustes qui couraient dans le jardin ? Pourquoi Dolfi restait-il si rachitique[4] ? Pourquoi était-il toujours si pâle ? Pourquoi était-il si peu sympathique aux autres ? Pourquoi n'avait-il pas de sang dans les veines et se laissait-il toujours mener par les autres et conduire par le bout du nez ? Elle essaya d'imaginer son fils dans quinze, vingt ans. Elle aurait aimé se le représenter en uniforme,

---

1. **Relique** : objet témoin du passé auquel on accorde une valeur sentimentale.
2. **Les genoux couronnés** : les genoux marqués par des bleus situés autour des rotules.
3. **Dépit** : déception mêlée de colère et de chagrin.
4. **Rachitique** : maigre.

à la tête d'un escadron[1] de cavalerie, ou donnant le bras à une superbe jeune fille, ou patron d'une belle boutique, ou officier de marine. Mais elle n'y arrivait pas. Elle le voyait toujours assis un porte-plume à la main, avec de grandes feuilles de papier devant lui, penché sur le banc de l'école, penché sur la table de la maison, penché sur le bureau d'une étude[2] poussiéreuse. Un bureaucrate[3], un petit homme terne. Il serait toujours un pauvre diable[4], vaincu par la vie.

« Oh ! le pauvre petit ! » s'apitoya une jeune femme élégante qui parlait avec Mme Klara.

Et secouant la tête, elle caressa le visage défait de Dolfi.

Le garçon leva les yeux, reconnaissant, il essaya de sourire, et une sorte de lumière éclaira un bref instant son visage pâle. Il y avait toujours l'amère solitude d'une créature fragile, innocente, humiliée, sans défense ; le désir désespéré d'un peu de consolation ; un sentiment pur, douloureux et très beau qu'il était impossible de définir. Pendant un instant – et ce fut la dernière fois – il fut un petit garçon doux, tendre et malheureux, qui ne comprenait pas et demandait au monde environnant un peu de bonté.

Mais ce ne fut qu'un instant.

« Allons, Dolfi, viens te changer ! » fit la mère en colère, et elle le traîna énergiquement à la maison.

Alors le bambin se remit à sangloter à cœur fendre, son visage devint subitement laid, un rictus[5] dur lui plissa la bouche.

« Oh ! ces enfants ! quelles histoires ils font pour un rien ! s'exclama l'autre dame agacée en les quittant. Allons, au revoir, madame Hitler[6] ! »

---

1. **Escadron** : troupe de soldats.
2. **Étude** : local où travaille un employé d'une administration.
3. **Bureaucrate** : personne qui travaille dans les bureaux (sens péjoratif).
4. **Un pauvre diable** : un individu misérable.
5. **Rictus** : sourire crispé, grimaçant.
6. Il s'agit de Klara Pölzl, la mère d'Adolf Hitler (1889-1945), dirigeant allemand qui instaura, de 1933 à 1945, un régime totalitaire, le IIIe Reich, et une doctrine raciste et antisémite, le nazisme.

La Rédaction

Antonio Skármeta

Antonio Skármeta (né en 1940) est écrivain et professeur de littérature dans une université chilienne. Partisan de la gauche, il est contraint de s'exiler après le coup d'État du général Augusto Pinochet en 1973, qui instaure un régime totalitaire. Dans la nouvelle qui suit, il témoigne de cette période troublée de son pays et rend un vibrant hommage à la résistance sous toutes ses formes.

Pour son anniversaire, Pedro a reçu un ballon. Il a protesté parce qu'il l'aurait voulu en cuir blanc avec des carrés noirs, comme ceux dans lesquels shootent les footballeurs professionnels. Celui-là, en plastique, et jaune par-dessus le marché, lui semblait beaucoup trop léger.

« Quand on veut marquer un but en faisant une tête, il s'envole. On dirait un oiseau tellement il pèse pas.

– Tant mieux, lui dit son père. Comme ça, tu te feras pas mal à la tête. »

Et il lui fit de la main le geste de se taire parce qu'il voulait écouter la radio. Depuis le mois précédent, depuis que les rues de Santiago[1] s'étaient remplies de soldats, Pedro avait remarqué que son papa, tous les soirs, s'asseyait dans son fauteuil préféré, sortait l'antenne de la radio verte et écoutait avec attention des nouvelles qui arrivaient de très loin. Parfois, il venait des amis de son père qui fumaient comme des cheminées et, après, s'étendaient

1. **Santiago** : capitale du Chili, en Amérique du Sud.

par terre et se collaient au haut-parleur comme s'il allait leur distribuer des bonbons par les trous.

Pedro demanda à sa maman :

« Pourquoi ils écoutent toujours cette radio pleine de crachouillis ?

– Parce que ce qu'elle dit est intéressant.

– Et qu'est-ce qu'elle dit ?

– Des choses sur nous, sur notre pays.

– Quelles choses ?

– Des choses qui arrivent.

– Et pourquoi on l'entend si mal ?

– Parce que la voix vient de très loin. »

Et Pedro tout ensommeillé se mettait à sa fenêtre et tâchait de deviner entre quelles montagnes de la Cordillère[1] que lui offrait sa fenêtre la voix de la radio pouvait bien se faufiler.

En octobre, Pedro disputa de grands matchs de foot dans le quartier. Ils jouaient dans une rue pleine d'arbres, et courir à leur ombre au printemps était presque aussi agréable que de nager dans la rivière en été. Pedro sentait que les feuilles bruissantes étaient comme l'immense verrière d'un stade couvert et qu'elles l'ovationnaient[2] quand il recevait une passe précise de Daniel, le fils de l'épicier, ou s'infiltrait comme Simonsen entre les grands de la défense pour marquer un but.

« But ! » criait Pedro. Et il courait embrasser tous ceux de son équipe, qui le portaient en triomphe comme s'il était un drapeau ou un cerf-volant. Bien que Pedro eût déjà neuf ans, il était le plus petit du coin et c'est pour ça que tout le monde l'appelait « microbe ».

« Pourquoi t'es si petit, lui demandait-on quelquefois pour l'embêter.

– Parce que mon papa est petit et que ma maman est petite.

---

1. **Cordillère** : chaîne de montagnes qui traverse le Chili.
2. **Ovationnaient** : acclamaient.

– Et sûrement aussi ton grand-père et ta grand-mère, parce que t'es vraiment microbe.

– Je suis microbe, mais je suis intelligent et rapide. Tandis que, toi, la seule chose que tu sais bouger vite, c'est ta langue. »

Un jour, Pedro fit une attaque foudroyante sur l'aile[1] gauche jusqu'à l'endroit où aurait dû se trouver le fanion du corner[2] si ça avait été un vrai terrain et non pas la rue de terre du quartier. Quand il arriva sur Daniel, le fils de l'épicier, il fit croire, d'une feinte[3] de la taille, qu'il allait avancer, mais il bloqua le ballon du pied, le fit passer par-dessus le corps de Daniel déjà à plat ventre dans la boue, et doucement le fit rouler entre les pierres qui marquaient le but.

« But ! » cria Pedro. Et il courut au centre du terrain pour recevoir l'accolade[4] des copains. Mais, cette fois, personne ne bougea. Ils étaient tous cloués sur place à regarder l'épicerie. Quelques fenêtres s'ouvrirent et des gens s'y penchèrent, les yeux fixés au coin de la rue comme si un célèbre magicien venait d'arriver, ou bien le cirque des Aigles-Humains avec ses éléphants danseurs. D'autres portes, cependant, s'étaient fermées, claquées par un coup de vent imprévu. C'est alors que Pedro vit le père de Daniel emmené par deux hommes qui le tiraient, tandis qu'un piquet[5] de soldats pointait sur lui leurs mitraillettes.

Quand Daniel voulut s'approcher, un des hommes l'arrêta en lui mettant la main sur la poitrine.

« Bouge pas ! » lui cria-t-il.

L'épicier regarda son fils et lui dit tout doucement :

« Surveille-moi bien le magasin. »

---

1. **Aile** : côté.
2. **Fanion du corner** : petit drapeau au coin du terrain.
3. **Feinte** : ruse.
4. **Accolade** : geste qui consiste à se serrer dans les bras pour se féliciter.
5. **Piquet** : groupe.

Au moment où les hommes le poussaient vers la Jeep[1], il voulut mettre une main dans sa poche et aussitôt un soldat leva sa mitraillette.

« Attention ! »

L'épicier dit :

« Je voudrais donner les clefs au gosse. »

Un des hommes le bloqua avec son coude.

« C'est moi qui vais le faire. »

Il palpa le pantalon du prisonnier et, là où se produisit un bruit métallique, il plongea sa main et sortit les clefs. Daniel les saisit au vol. La Jeep partit et les mères se précipitèrent sur les trottoirs, attrapèrent leurs enfants par le cou et les rentrèrent à la maison. Pedro resta près de Daniel dans le tourbillon de poussière qu'avait soulevé la Jeep.

« Pourquoi on l'a emmené ? » demanda-t-il.

Daniel enfonça les mains dans ses poches et serra les clefs au fond.

« Mon papa il est de gauche, dit-il.

– Et ça veut dire quoi ?

– Qu'il est antifasciste[2]. »

Pedro avait déjà entendu ce mot le soir quand son père était près de la radio, mais il ne savait pas encore ce que ça voulait dire, et surtout il avait du mal à le prononcer. Le « f » et le « s » s'embrouillaient sur sa langue et ça faisait un bruit plein d'air et de salive quand il le disait.

« Ça veut dire quoi anti-fa-ciste ? » demanda-t-il.

Son ami regarda la rue vide à présent et lui dit comme un secret :

« C'est quand on veut que le pays soit libre. Que Pinochet[3] s'en aille.

---

1. **Jeep** : voiture tout-terrain utilisée par l'armée.
2. **Antifasciste** : opposant au fascisme, système politique d'extrême droite, nationaliste et totalitaire mis en place par Augusto Pinochet.
3. **Augusto Pinochet** (1915-2006) : dirigeant du Chili de 1974 à 1990 qui instaura un régime totalitaire basé sur une dictature militaire après un coup d'État en 1973.

– Et c'est pour ça qu'on les met en prison ?

– Je crois.

– Qu'est-ce que tu vas faire ?

– Je sais pas. »

Un ouvrier s'approcha lentement et vint passer la main dans les cheveux de Daniel, l'ébouriffant encore plus que d'habitude.

« Je vais t'aider à fermer », dit-il.

Pedro prit le chemin du retour en poussant le ballon du pied et, comme il n'y avait dans la rue personne avec qui jouer, il courut jusqu'à l'autre carrefour attendre le bus qui ramènerait son père du travail. Quand son père descendit, Pedro l'attrapa par la taille et son père se pencha pour l'embrasser.

« Maman n'est pas encore rentrée ?

– Non, dit l'enfant.

– Tu as beaucoup joué au foot ?

– Un peu. »

La main de son père attrapa sa tête et la serra contre sa poitrine en une caresse.

« Y a des soldats qui sont venus arrêter le père de Daniel.

– Oui, je sais, dit le père.

– Et comment tu le sais ?

– On m'a prévenu par téléphone.

– Daniel, c'est lui le patron maintenant. Peut-être il va me donner des bonbons.

– Je ne crois pas.

– On l'a emmené dans une Jeep comme celles qu'il y a dans les films. »

Le père ne répondit rien. Il respira profondément et resta là à regarder la rue avec une grande tristesse. Bien que ce fût un jour de printemps, on n'y voyait ni femmes ni enfants – que des hommes qui revenaient lentement de leur travail.

« Tu crois qu'on le verra à la télé ?

– Quoi ? demanda le père.

– Le papa de Daniel.

– Non. »

Le soir, ils s'assirent tous les trois à table et, bien que personne ne lui ait dit de se taire, Pedro n'ouvrit pas la bouche, comme gagné par le silence de ses parents, et il regardait les dessins de la nappe comme si les fleurs brodées avaient été dans un endroit très loin. Soudain, sa mère se mit à pleurer sans bruit.

« Pourquoi elle pleure, maman ? »

Le père regarda d'abord Pedro, puis sa femme et ne répondit pas. La mère dit :

« Je ne pleure pas.

– Quelqu'un t'a fait quelque chose ? demanda Pedro.

– Non. »

Ils finirent de manger en silence et Pedro alla mettre son pyjama, qui était orange avec plein d'oiseaux et de lapins. Quand il revint, son père et sa mère se tenaient enlacés dans le fauteuil, l'oreille tout près de la radio qui émettait des sons bizarres, encore plus vagues que d'habitude à cause du faible niveau. Devinant presque que son père allait mettre un doigt sur ses lèvres et lui faire signe de se taire, Pedro demanda très vite.

« Papa, t'es de gauche, toi ? »

L'homme regarda son fils, sa femme, et puis tous les deux regardèrent Pedro. Après quoi il leva et baissa lentement la tête pour acquiescer[1].

« On va t'arrêter toi aussi ?

– Non, dit le père.

– Et comment tu le sais ?

– Tu me portes chance, moineau » dit l'homme en souriant.

Pedro s'appuya au cadre de la porte, heureux qu'on ne l'envoie pas se coucher tout de suite comme les autres soirs. Il prêta attention à la radio, en essayant de comprendre ce qui attirait ses parents et leurs amis chaque soir. Quand il entendit la voix

---

1. **Acquiescer** : dire oui.

du speaker[1] dire : « La junte[2] fasciste », il sentit que toutes les choses, qui jusque-là flottaient éparses[3] dans sa tête, s'assemblaient
170 soudain comme dans ces puzzles où petit bout par petit bout il recomposait l'image d'un voilier.

« Papa ! s'écria-t-il. Moi aussi je suis antifasciste ? »

Le père regarda sa femme, comme si la réponse à cette question était écrite dans ses yeux à elle, et la mère gratta sa pommette[4]
175 d'un air amusé et finit par dire :

« C'est difficile à dire.

– Et pourquoi ?

– Parce que les enfants ne sont anti-rien. Les enfants sont simplement des enfants. Les enfants de ton âge doivent aller à l'école,
180 beaucoup étudier, jouer encore plus, et bien aimer leurs parents. »

Chaque fois qu'on disait à Pedro de si longues phrases, il ouvrait grands les yeux en espérant que le puzzle allait s'organiser dans sa tête. Mais cette fois il battit des cils, le regard fixé sur la radio.

« Bon, dit-il en se grattant le nombril qui pointait chaque fois
185 que le pantalon de son pyjama commençait à glisser, mais si le papa de Daniel est en prison, Daniel ne pourra pas aller à l'école.

– Allez, au lit, moineau » dit le père.

Le lendemain, Pedro avala deux petits pains avec de la confiture, promena un doigt dans le lavabo, s'essuya le coin des yeux et
190 partit ventre à terre[5] à l'école pour qu'on ne lui marque pas un autre retard. En chemin, il vit un beau cerf-volant bleu pris dans les branches d'un arbre, mais il eut beau sauter et sauter, rien à faire. La cloche n'avait pas encore fini de sonner ding-dong quand la maîtresse entra, toute raide, accompagnée d'un monsieur en
195 uniforme militaire, une médaille sur la poitrine longue comme une carotte, des moustaches grises et des lunettes plus noires que

1. **Speaker** : présentateur radio.
2. **Junte** : dictature militaire.
3. **Éparses** : éparpillées.
4. **Pommette** : joue.
5. **Ventre à terre** : très rapidement.

la crasse des genoux. Il ne les enleva pas, peut-être parce que le soleil entrait dans la classe comme s'il avait voulu l'incendier.

La maîtresse dit :

200 « Debout mes enfants, et bien droits. »

Les enfants se levèrent et attendirent le discours du militaire qui souriait avec ses moustaches en brosse à dents sous ses lunettes noires.

« Bonjour mes petits amis, dit-il. Je suis le capitaine Romo et je 205 suis venu vous voir de la part du gouvernement, c'est-à-dire du général Pinochet, de l'amiral Merino et du général Leigh[1], pour inviter tous les enfants de toutes les classes de cette école à faire une rédaction. Celui qui aura écrit la plus belle de toutes recevra des mains du général Pinochet lui-même une médaille en or et 210 un ruban comme celui-là, aux couleurs du drapeau chilien. »

Il croisa ses mains derrière son dos, se plaça, d'un saut, jambes écartées et étira le cou en levant un peu le menton.

« Attention ! Asseyez-vous ! »

Les enfants obéirent en se grattant à deux mains.

215 « Bien, dit le militaire. Prenez vos cahiers… Les cahiers sont prêts ? Bien, prenez vos crayons… Les crayons sont prêts ? Écrivez ! Sujet de la rédaction : "Ma maison et ma famille." Vu ? C'est-à-dire ce que vous faites, vous et vos parents, à votre retour de l'école et du travail. Les amis qui viennent. Ce dont on parle. 220 Les réflexions qu'on fait quand on regarde la télé. Tout ce qui vous passera par la tête, librement, en toute liberté. Prêts ? Une, deux, trois, partez !

– On peut effacer, m'sieu ? demanda un enfant.

– Oui, dit le capitaine.

225 – On peut écrire avec un Bic ?

– Oui, jeune homme, bien sûr !

– On peut écrire sur une copie, m'sieu ?

1. **Amiral Merino, général Leigh** : chefs militaires chiliens ayant participé au coup d'État de 1973.

– Absolument.

– Il faut en mettre combien, m'sieu ?

– Deux ou trois pages. »

Les enfants protestèrent en chœur.

« Bon, conclut le capitaine. Une ou deux alors. Au travail ! »

Les enfants mirent leur crayon entre les dents et regardèrent au plafond pour voir si, par un petit trou, l'oiseau de l'inspiration n'allait pas descendre vers eux. Pedro suçait avec force le bout de son crayon, mais il n'en sortit pas le moindre mot. Il fourragea[1] dans son nez et colla sous la table une petite crotte qui en était sortie par hasard. Leïva, son voisin de table, était en train de se ronger les ongles un à un.

« Tu les manges ? lui demanda Pedro.

– Quoi ?

– Les ongles.

– Non, je les coupe avec mes dents et après je les crache. Comme ça. T'as vu ? »

Le capitaine s'avança entre les tables et Pedro put voir à quelques centimètres la boucle dure et brillante de son ceinturon.

« Et vous, vous ne travaillez pas ?

– Si, m'sieu, dit Leïva. »

Et, à toute vitesse, il fronça les sourcils, sortit sa langue entre ses dents et écrivit un grand « A » pour commencer sa rédaction. Quand le capitaine fut revenu au tableau et se fut installé pour parler tout bas avec la maîtresse, Pedro jeta un coup d'œil à la feuille de Leïva.

« Qu'est-ce que tu vas mettre ?

– N'importe quoi. Et toi ?

– Chais pas.

– Qu'est-ce qu'ils ont fait tes vieux hier au soir ?

– Ben, toujours la même chose. Ils ont mangé, ils ont écouté la radio et ils se sont couchés.

---

1. **Fourragea** : mit son doigt (familier).

– Ma maman, pareil.

– Ma maman, elle s'est mise à pleurer tout à coup.

– Les femmes, ça pleure tout le temps, t'as pas remarqué ?

– Moi, j'essaie de jamais pleurer. Ça fait presque un an que j'ai pas pleuré.

– Et si je te casse la gueule ?

– Ben, pourquoi, puisqu'on est copains ?

– C'est vrai. »

Ils empoignèrent tous les deux leurs stylos et regardèrent l'ampoule éteinte, les ombres sur les murs, et ils se sentaient la tête vide comme une tirelire et sombre comme un tableau noir. Pedro approcha sa bouche de l'oreille de Leïva et lui dit :

« Dis, t'es antifasciste, toi ? »

Leïva surveilla la position du capitaine. Il fit signe à Pedro de tourner la tête et vint lui souffler son haleine dans l'oreille :

« Ben, évidemment, ducon. »

Pedro s'écarta un peu de lui et cligna de l'œil exactement comme font les cow-boys au ciné. Après quoi, il se rapprocha encore en faisant semblant d'écrire quelque chose sur la page déserte.

« Mais t'es qu'un enfant, toi !

– Ça n'a rien à voir.

– Ma maman, elle dit que les enfants…

– Elles disent toujours ça… Mon papi on l'a arrêté et on l'a emmené dans le nord.

– Le papa de Daniel aussi.

– Je connais pas.

– L'épicier. »

Pedro contempla la feuille blanche et lut, écrit de sa propre main : « Pedro Malbran. École Siria – cours moyen A – Ma maison et ma famille. »

« Eh ! le Maigre ! dit-il à Leïva. Chiche que je gagne la médaille !

– Vas-y, microbe !

– Si je la gagne, je la revends et je m'achète un ballon de foot, un vrai, en cuir blanc avec des carrés noirs.

– Tu l'as pas encore gagnée. »

Pedro mouilla la pointe de son crayon avec un peu de salive, poussa un profond soupir et écrivit d'un seul trait le texte suivant :

Quand mon papa revient du travail, je vais l'attendre à l'arrêt du bus. Des fois, ma maman est déjà rentrée et quand mon papa arrive elle lui dit alors mon grand ça s'est bien passé aujourd'hui. Oui lui dit mon papa et toi aussi. Ça va, ça va, lui dit ma maman. Après, moi je vais jouer au foot et j'aime bien marquer des buts en faisant des têtes. Daniel, lui, il aime bien être goal mais moi je l'énerve parce qu'il arrive pas à bloquer quand je choute[1]. Après, ma maman vient me chercher et elle me dit maintenant viens manger Pedrito, et on se met à table et moi je mange tout sauf les haricots parce que je peux pas les blairer[2]. Après mon papa et ma maman s'assoient dans les fauteuils du livingue[3] et ils jouent aux échecs et moi je fais mes devoirs. Et après on va tous au lit et moi je joue à leur chatouiller les pieds. Et après, après, j'ai plus rien à raconter parce que je m'endors.

Signé : Pedro Malbran.

PS : Si on me donne un prix pour la rédaction, je voudrais bien un ballon de foot mais pas en plastique.

Une semaine passa, au cours de laquelle un arbre du quartier s'abattit tellement il était vieux, l'éboueur ne passa pas pendant cinq jours et les mouches venaient heurter les yeux des gens et même leur entraient dans le nez, Gustavo Martinez de la maison d'en face se maria et ils donnèrent du gâteau de mariage à tous les voisins, la Jeep revint et on arrêta le professeur Manuel Pedraza, le curé ne voulut pas dire la messe ce dimanche-là, le Colo[4] gagna un match international haut la main, on trouva le mur blanc de l'école barré d'un large mot en rouge : « RÉSISTANCE », Daniel

1. **Choute** : déformation de l'anglais, « *shoot* », tirer.
2. **Blairer** : sentir (familier).
3. **Livingue** : déformation de l'anglais « *living-room* », salon, pièce à vivre.
4. **Le Colo** : club de football chilien.

revint jouer au foot et il marqua un but d'un retournement et un autre d'une tête, le prix des glaces augmenta, et Mathilde Shepp, le jour de ses huit ans, demanda à Pedro de l'embrasser sur la bouche.

« T'es pas folle, toi ! » lui répondit-il.

Après cette semaine en vint une autre et, un jour, le militaire réapparut dans leur classe, les bras chargés de papiers, d'un sac de bonbons et d'un calendrier avec la photo d'un général.

« Mes chers petits amis, dit-il à la classe, vos rédactions étaient très jolies et elles nous ont beaucoup amusés mes collègues et moi, aussi en notre nom à tous et au nom du général Pinochet, je dois vous féliciter très sincèrement. Ce n'est pas dans votre classe que la médaille d'or a été gagnée, mais dans une autre ; oui, une autre. Cependant, pour récompenser votre sympathique petit travail, je vais vous distribuer à chacun un bonbon, votre rédaction avec une note, et ce calendrier avec la photo du héros. »

Pedro mangea son bonbon dans le bus du retour. Il alla attendre son père au coin de la rue et, plus tard, il posa sa rédaction sur la table du dîner. En bas, le capitaine avait écrit à l'encre verte : « Bravo ! Je te félicite ! » Mangeant sa soupe d'une main et se grattant le nombril de l'autre, Pedro attendit que son père ait fini de la lire. L'homme passa la rédaction à la mère et la regarda sans rien dire ; il enfilait ses cuillerées de soupe l'une après l'autre sans s'arrêter, mais sans quitter sa femme du regard. Elle leva les yeux de la feuille et il lui vint aux lèvres un sourire radieux, éclatant comme un fruit. Sourire que le père copia aussitôt, tout pareil.

« Bon, dit-il. Il va falloir acheter un jeu d'échecs, on sait jamais. »

Garde-robe

Jean-Christophe Rufin

Jean-Christophe Rufin (né en 1952) est médecin de formation, mais aussi diplomate et écrivain, élu à l'Académie française en 2008. Engagé dans des missions humanitaires, il a parcouru le monde et a été ambassadeur de France au Sénégal puis en Gambie. Pour écrire ses récits, il s'inspire de l'Histoire, souvent chaotique, des pays qu'il a traversés. Ainsi, l'intrigue de la nouvelle suivante, extraite du recueil *Sept histoires qui reviennent de loin* paru en 2011, se déroule au Sri Lanka.

C'est en Asie que Reiter m'a raconté cette histoire, à Colombo[1] plus précisément. Nous étions assis au bar de l'hôtel Galle Face.

D'ordinaire, j'oublie ce genre de détail. Cette fois, je me souviens parfaitement de la scène, à cause d'un incident stupide. Ce jour-là, en crawlant à l'aveugle dans la piscine de l'hôtel, j'avais frôlé et, paraît-il, griffé une forte dame anglaise qui barbotait[2] près de l'échelle. Malgré mes excuses, elle était allée se plaindre à la réception. Le regard outré qu'elle m'avait jeté en sortant de l'eau indiquait assez que, si l'île avait toujours été une colonie[3], j'aurais tâté du fouet et peut-être de la corde. Les Anglaises de la piscine n'étaient d'ailleurs pas les seuls vestiges[4] coloniaux du Galle Face. Tout y fleurait bon l'Empire : les serveurs enturbannés[5]

---

1. **Colombo** : capitale économique du Sri Lanka, pays situé au sud de l'Inde.
2. **Barbotait** : se prélassait dans l'eau.
3. Colonisé par plusieurs pays européens à partir du XVIe siècle, le Sri Lanka a été rattaché à l'Empire Britannique au début du XIXe siècle, jusqu'à son indépendance en 1948.
4. **Vestiges** : restes.
5. **Enturbannés** : coiffés d'un turban.

qui marchaient pieds nus ; les ventilateurs qui se débattaient dans l'air tiède de la galerie ; les pelouses minuscules, d'un vert cru, que taillaient à quatre pattes des enfants malingres[1], armés de ciseaux rouillés. Cependant, Reiter aimait le Galle Face et, malgré tout, moi aussi. Nous nous y retrouvions presque chaque soir. Cette habitude était devenue nécessaire aux célibataires forcés que nous étions, dans ce pays lointain.

J'arrivais en général vers cinq heures. Reiter, lui, me rejoignait un peu plus tard. Sur cette côte occidentale du Sri Lanka, les crépuscules[2] sont superbes. Du Galle Face, on voit le soleil disparaître dans une mer violette qui semble prolonger les terrasses fleuries de l'hôtel. Ce soir-là, le ciel était chargé de longs nuages dorés au passage des derniers rayons. Ils donnaient à la lumière une solennité[3] troublante. Reiter était arrivé en retard, très pâle, et il avait commandé son whisky dès son entrée dans le hall. À peine fut-il assis qu'un serveur patina jusqu'à nous et déposa un verre devant lui. Ce genre de hâte était tout à fait exceptionnelle, tant le climat de cette « Asie brune », comme l'appellent les géographes – climat moral autant qu'atmosphérique –, contrariait toute agitation, amollissait et rendait les plus nerveux sereins et presque assoupis. Mon travail contribuait encore à cette démobilisation : chargé d'attribuer les visas au consulat, j'avais pour consigne d'en accorder le moins possible. La paresse était en quelque sorte pour moi la façon la plus rigoureuse d'obéir aux ordres.

Reiter, lui, était censé en faire un peu plus. Il travaillait pour les Nations unies[4] et s'occupait des victimes civiles du conflit qui ensanglantait l'île[5]. Il était très sollicité au moment des offensives militaires dans le Nord et lorsque des attentats frappaient la

---

1. **Malingres** : de faible constitution.
2. **Crépuscules** : couchers de soleil.
3. **Solennité** : caractère sacré.
4. **Nations unies** : Organisation des Nations Unies (ONU), chargée de maintenir la paix et la sécurité dans le monde.
5. Référence à la guerre civile, de 1983 à 2009, opposant les rebelles Tamouls hindous aux Cinghalais bouddhistes, les deux communautés ethniques et religieuses du Sri Lanka.

capitale. En le voyant si bouleversé, je pensai qu'un brutal réveil de la rébellion avait dû se produire, sans que j'en sois encore informé. Mais quand il eut avalé une bonne rasade de whisky, il m'entraîna dans une tout autre direction.

« Avez-vous déjà rencontré Rahawal ? me demanda-t-il.

– Votre majordome[1] ? »

« Boy[2] » sentait un peu trop l'Afrique ; la coutume sur l'île voulait que l'on donnât le nom désuet et pompeux de « majordome » aux pauvres bougres[3] qui venaient faire du ménage et du repassage chez les étrangers.

« Je l'ai vu une fois l'an dernier, je crois, quand je suis allé dîner chez vous. »

À l'époque, Reiter venait d'arriver et s'était lancé dans le train d'invitations rituel, train qui, en général, s'arrêtait vite et laissait place à des formes plus relâchées de civilité, comme nos apéritifs au Galle Face.

« C'est bien lui, je n'en ai pas changé. »

Comme la plupart des expatriés[4] qui vivaient seuls dans l'île, Reiter avait de préférence engagé un homme. Cela permettait d'éviter certaines complications qui avaient surgi dans le passé, quand des célibataires employaient des domestiques femmes. Rahawal lui avait été recommandé par le cuisinier de la Croix-Rouge[5].

« Qu'a-t-il donc fait, ce Rahawal ? » demandai-je avec un sourire benoît[6].

L'excitation des autres nous paraît toujours plus futile[7] que la nôtre et il est facile de lui opposer un front serein.

---

1. **Majordome** : domestique.
2. **Boy** : terme considéré aujourd'hui comme péjoratif (signifiant « garçon » en anglais) employé dans les pays colonisés pour désigner un domestique africain.
3. **Bougres** : braves hommes (familier).
4. **Expatriés** : personnes qui ont quitté leur pays pour aller vivre dans un autre.
5. **Croix-Rouge** : organisation internationale humanitaire.
6. **Benoît** : satisfait.
7. **Futile** : légère, insignifiante.

« À voir votre tête, ajoutai-je, on croirait qu'il a jeté une bombe chez vous. »

70 Reiter secoua gravement la tête.

« Une bombe… si l'on veut. C'est à peu près cela. »

Je le dévisageai avec étonnement. Jamais encore je n'avais vu son visage prendre une expression aussi douloureuse. Reiter était plus âgé que moi. Il avait largement dépassé la cinquan-
75 taine et affectait volontiers un scepticisme placide[1]. J'admirais son détachement, son ironie, le moelleux de sa conversation, qui devait tout à Montaigne. Cependant, malgré nos bavardages quotidiens, je savais peu de chose de lui, sinon qu'il était entré tard à l'ONU, après une carrière dans les affaires. Il m'avait
80 laissé entendre qu'il avait divorcé deux fois. Il correspondait avec ses enfants qui poursuivaient leurs études en Europe et aux États-Unis.

« Peut-être pourriez-vous m'en dire un peu plus… »

Après avoir commandé deux autres verres, Reiter parut reve-
85 nir à lui. Il se redressa dans son vaste fauteuil en osier, et sa voix redevint nette et claire.

« Rahawal est un vrai numéro, vous savez. Il me fait penser à Hadji Baba d'Ispahan[2] : toujours des combines, des ruses et avec ça, souriant, sympathique. Impossible de lui faire confiance et
90 impossible aussi de lui en vouloir s'il vous roule[3]…

– Tout à fait comme Ravi chez moi.

– Il parle assez bien l'anglais, poursuivit Reiter, sans paraître entendre ma remarque. Nous discutons beaucoup. Si j'ai besoin de quelque chose d'introuvable, il me le déniche et n'a pas son
95 pareil pour commenter les événements politiques. »

---

1. **Affectait volontiers un scepticisme placide** : affichait volontiers de manière calme qu'il doutait des choses.
2. **Hadji Baba d'Ispahan** : personnage principal du conte oriental *Les Aventures d'Hadji Baba d'Ispahan*, écrit par le diplomate anglais James Morier en 1824, qui retrace la fulgurante ascension sociale d'un malicieux barbier persan expert en tromperie.
3. **Roule** : trompe (familier).

Ce pays n'échappe pas au jeu oriental des intrigues, des alliances souterraines, des complots dans lequel les étrangers se perdent à plaisir. Tout y est indéchiffrable – à commencer par l'écriture des langues –, et cette fièvre lente de mystère resterait bénigne[1] si, par moments, l'explosion d'une voiture piégée ne venait donner à ces difficiles équations une solution bien concrète et bien sanglante.

« Est-il pacifique[2]... ? continua Reiter, comme s'il posait cette question pour lui-même. Oui, et pourtant il est capable d'une incroyable violence, peut-être à son insu[3]. Je l'ai vu, l'autre jour, trancher le cou d'un poulet avec un couteau rouillé et il a fait durer cette boucherie près d'un quart d'heure. Il s'est même interrompu, alors que la pauvre bête n'était pas encore morte, pour aller répondre au téléphone...

– Vient-il de la côte ou du centre ? demandai-je, moins par curiosité que pour rappeler à Reiter ma présence.

– Du centre. Sa mère était cueilleuse de thé dans les hauts plateaux. Il n'a pas connu son père. À six ans, il a été envoyé chez son oncle à Kandi[4] et ensuite ici, un peu plus tard.

– Et, naturellement, il trempe dans la politique ?

C'était l'énoncé d'une évidence, car la plupart des jeunes de la capitale prennent plus ou moins parti, souvent contraints et forcés, dans la guerre civile qui oppose la rébellion du Nord et le gouvernement. Pourtant, ma question parut susciter un déclic dans l'esprit de Reiter. Il me regarda fixement et j'eus l'impression désagréable qu'il venait tout juste de se rendre compte à nouveau de mon existence. Après une dernière hésitation, il décida de se jeter à l'eau. Je le vis se pencher en avant pour être plus près de moi et jeter un coup d'œil à droite et à gauche. Enfin, il entra dans ce qui devait constituer le vif de son sujet.

---

1. **Bénigne** : sans gravité.
2. **Pacifique** : pour la paix, non violent.
3. **À son insu** : malgré lui, involontairement.
4. **Kandi** : ville située au centre du Sri Lanka.

125 «Je dois d'abord vous confier quelque chose de très personnel, commença-t-il.

Je fis un geste de la main pour signifier que j'accueillais volontiers sa confidence mais ne le contraignais[1] nullement à la livrer.

«Voilà, reprit-il en regardant mon verre ou mes doigts, je suis 130 né pendant la guerre et mon père a été arrêté en 43, quand j'avais deux ans.»

Il parlait sans émotion, comme s'il dressait un procès-verbal.

«Il a connu toute une série de prisons en France puis, finalement, a été déporté en Allemagne, au camp de concentration 135 de Buchenwald[2]. Il y est resté presque deux ans.»

Les maigres ampoules qui éclairaient la galerie, entourées de phalènes[3], déposaient sur les visages une phosphorescence verdâtre qui accentuait encore sa pâleur.

«Pourquoi a-t-il été arrêté?»

140 Je regrettai tout de suite ma question, craignant que Reiter n'y vît une façon brutale de demander s'il était juif.

«Il faisait partie d'un réseau de résistance, répondit-il, et, à son ton naturel, je compris qu'il n'avait pas mal accueilli mon indiscrétion. Quelqu'un a parlé sous la torture et l'a dénoncé. 145 Mais peu importe. L'essentiel n'est pas là.»

Où donc, alors? Je n'aime guère les confidences quand elles ne livrent pas des souvenirs heureux. Moi qui supporte plutôt bien la chaleur, je sentais une gêne et ma chemise était tout humide dans le dos.

150 «L'essentiel est qu'il est revenu. Il a vécu encore dix ans. Mais quelque chose était brisé en lui. Un soir d'octobre, il s'est pendu dans la pièce qui lui servait de bureau.»

---

1. **Contraignais**: forçais.
2. **Camp de concentration**: lieu où étaient détenus les opposants et les groupes ethniques ou religieux discriminés par le régime nazi durant la Seconde Guerre mondiale; **Buchenwald**: camp de concentration situé en Allemagne.
3. **Phalènes**: variété de papillons.

Un groupe d'hommes d'affaires anglais, coiffés et parfumés pour le dîner, passèrent devant nous et firent une bruyante mais
155 heureuse diversion.

« Il a fallu que je travaille presque tout de suite pour aider ma mère. À quinze ans, je suis entré comme commis[1] dans une entreprise de peinture. Elle a été rachetée par un grand groupe de produits chimiques. J'y suis resté et j'ai grimpé les échelons.
160 Dans ce genre de boîte, il suffit de durer, et on monte tout seul. »

Avec la main, il fit le geste de tourner les pages d'un grand livre, et c'était sans doute le signe qu'il voulait sauter de nombreux épisodes.

« Ma mère est morte il y a huit ans. J'avais divorcé peu de temps
165 avant pour la deuxième fois. Depuis quelques mois, professionnellement, j'étais parvenu au sommet. Le conseil d'administration m'avait nommé président. En un mot, j'étais à la tête du premier groupe pétrochimique[2] européen. Mes enfants entraient à l'université. Tout cela, bien banalement, me préparait à la crise de
170 conscience de la cinquantaine… »

Il rit et j'en profitai pour en faire autant, comme un spectateur qui se racle la gorge entre deux morceaux de musique.

« Ça s'est passé dans l'appartement de mes parents. J'étais en train de le vider avant de le mettre en vente. Tout à coup, au
175 fond du placard, j'ai retrouvé toutes les affaires que mon père avait rapportées du camp.

– Et qu'est-ce que l'on peut bien rapporter de déportation[3] ?

– Beaucoup de choses, figurez-vous. Et d'abord, sa correspondance.

180 – Vous voulez dire qu'il recevait des lettres ? À Buchenwald !

– Ah, vous ne le saviez pas non plus ? Moi, je me suis renseigné depuis et j'ai découvert que, sous certaines conditions, les

---

1. **Commis** : employé dont le rang est le plus bas dans la hiérarchie d'une entreprise.
2. **Pétrochimique** : relatif à la fabrication de produits chimiques à partir du pétrole.
3. **Déportation** : internement en camp de concentration (voir note 2, p. 66).

déportés pouvaient écrire et recevoir du courrier. Bien sûr, tout était strictement réglementé. Les nazis avaient fait imprimer des formulaires spéciaux. Il fallait écrire au crayon et en allemand. Le message devait être tout à fait banal : « Je vais bien, je suis en bonne santé, etc. » Mais sur la plupart des lettres, on voit l'écriture se déformer au bout de deux lignes et devenir illisible, ce qui veut dire : je suis épuisé et cela, croyez-moi, c'est le plus émouvant. Ensuite, le papier était glissé dans une enveloppe timbrée à l'effigie d'Hitler[1], avec un cachet[2] bien rond, tout à fait semblable à celui de n'importe quel bureau de poste du monde, sauf qu'y était inscrite cette provenance singulière : Konzentrazionlager Weimar-Buchenwald[3]… En retour, les lettres de ma mère lui parvenaient – enfin, quelques-unes –, et il les avait gardées dans sa poche pendant tous ces mois d'horreur, il avait dormi, sué, grelotté de froid en les tenant toujours contre lui, au point qu'elles étaient devenues des plaquettes parcheminées, cassantes, tachées. Mais il les avait rapportées. »

Il faisait tout à fait nuit. Une lune, invisible d'où nous étions, soulignait le mince fil gris de l'horizon, et des voiles argentées, comme de petits copeaux de ciel qu'aurait tranchés cette lame, s'éparpillaient en contrebas. Les pêcheurs sortaient pour aller poser leurs casiers.

« J'ai retrouvé bien d'autres petites choses : des tickets qui servaient pour les appels, l'infirmerie, la nourriture. Mon père avait conservé ces misérables petits trésors, cachés dans son uniforme rayé[4]. Le pantalon avait dû tomber en loques[5] mais j'ai retrouvé la veste, puante et maculée[6] de taches, avec, cousus sur la poitrine,

---

1. **À l'effigie d'Hitler** (1889-1945) : à l'image d'Adolf Hitler (voir note 6, p. 48).
2. **Cachet** : tampon.
3. **Konzentrazionlager Weimar-Buchenwald** : camp de concentration de Buchenwald, près de Weimar.
4. **Uniforme rayé** : uniforme à rayures noires et blanches que portaient les déportés détenus en camp de concentration.
5. **Tomber en loques** : s'abîmer, se déchirer.
6. **Maculée** : salie.

le triangle rouge des politiques[1] et une bande qui portait le numéro qu'on lui avait tatoué au poignet[2].

– On ne vous avait jamais montré tout ça ?

– Jamais. Et je n'y avais pas pensé une seule fois pendant ces années occupées à acquérir le confort et des biens matériels. Ma vie s'était déroulée en marge du passé, vous comprenez ? C'est à ce moment-là que je me suis mis à lire des livres sur les drames du XXe siècle. J'ai commencé aussi à envisager la politique comme autre chose qu'un sport dérisoire[3] où des équipes presque identiques s'affrontent autour des urnes[4] de temps en temps. Vous pouvez juger que c'était tard mais, après tout, certains n'y parviennent jamais. En tout cas, moi, j'ai découvert à cinquante ans que l'Histoire était une tragédie et que j'avais le devoir d'y prendre part.

– De quelle manière ?

– C'était toute la question, s'écria-t-il en me regardant en face cette fois. Ne pas oublier, c'est bien beau, mais les commémorations[5], les musées, le souvenir, cela ne me satisfaisait pas. Pas du tout. Car, à mes yeux, rien n'est achevé. Les tragédies d'hier ne nous ont pas rendus quittes[6] de celles d'aujourd'hui. La mémoire ne vaut que si elle éclaire le présent et l'avenir.

– Et c'est comme ça que vous avez choisi l'humanitaire[7] ? dis-je avec entrain, trop heureux d'en finir. »

---

1. **Le triangle rouge des politiques** : les déportés avaient un triangle de couleur, cousu sur leur uniforme, qui indiquait la catégorie de détenus à laquelle ils appartenaient (vert pour les criminels, rouge pour les prisonniers politiques, jaune – deux triangles superposés en étoile – pour les juifs, etc.).
2. **Le numéro qu'on lui avait tatoué au poignet** : à leur arrivée au camp de concentration, les déportés étaient tatoués d'une série de chiffres transformant ainsi leur identité humaine par un numéro.
3. **Dérisoire** : insignifiant, ridicule.
4. **Urnes** : boîtes servant à recevoir les bulletins de vote lors d'une élection.
5. **Commémorations** : cérémonies officielles ayant pour but d'entretenir la mémoire d'un événement historique.
6. **Ne nous ont pas rendus quittes** : ne nous ont pas libérés de la dette morale.
7. **Humanitaire** : mission d'associations et d'organisations visant à améliorer les conditions de vie d'un groupe de personnes (sur le plan médical, économique, etc.).

Reiter se renfrogna[1] immédiatement.

« Oh ! lâcha-t-il en baissant le nez, l'humanitaire, voyez-vous… Je ne suis pas sûr que ce soit exactement le mot. Quand on garde le souvenir des camps, on juge tout ça suspect. Apporter des couvertures à Auschwitz[2], est-ce que c'était vraiment la solution ? Moi, ce que je cherchais, c'était éradiquer[3] le mal à la base… Lutter pour la paix, combattre la barbarie, délivrer ceux qui sont écrasés par les dictatures… Ambitieux programme, je vous l'accorde. Le problème, c'est d'avoir les moyens de le réaliser. Et je vous avoue que je n'ai rien trouvé de satisfaisant. J'ai choisi finalement les Nations unies, parce qu'il me semblait que cette organisation représentait un idéal proche de ce que je désirais. À l'origine, les Nations unies, c'est la volonté d'opposer une force juste à la barbarie. Mais quand je vois à quoi on m'emploie ici, auprès des victimes… je suis d'accord avec vous. Cela se réduit à peu près à ce que vous appelez l'humanitaire. Tant pis. L'essentiel est moins ce que l'on fait que les raisons pour lesquelles on le fait, n'est-ce pas ?

Il marqua une petite pause embarrassée et, cette fois, je le comprenais bien : moi non plus, je n'aurais pas été trop à l'aise pour justifier ce que je faisais toute la journée. Quand j'avais choisi la diplomatie, j'avais pourtant aussi de grandes idées en tête…

– Excusez-moi pour cette confession[4] un peu trop longue. Mais il fallait que je vous explique tout cela pour en arriver à l'affaire d'aujourd'hui. Voilà : j'ai éprouvé le besoin de conserver une relique[5] de la déportation de mon père. J'ai choisi la plus terrible de toutes, la plus impressionnante à mes yeux : sa veste rayée de bagnard. Je l'emporte avec moi partout. Elle représente pour moi l'horreur suprême.

---

1. **Se renfrogna** : manifesta son mécontentement.
2. **Auschwitz** : plus grand camp de concentration et d'extermination, situé en Pologne.
3. **Éradiquer** : faire disparaître définitivement.
4. **Confession** : confidence personnelle, qui relève de la vie privée.
5. **Relique** : objet témoin du passé auquel on accorde une grande valeur sentimentale.

– Je comprends, dis-je, pour signifier, en somme, le contraire.

– C'est un geste rituel, une sorte de superstition dont je mesure le ridicule. Mais je me dis que tant que la bête est enfermée là,
265 elle est neutralisée. Bien sûr, il y a des souffrances dans le monde, mais aucune n'atteint encore le sommet, cette industrialisation de l'horreur à quoi le IIIe Reich était parvenu. Le danger existe toujours. On ne l'a pas fait disparaître et sans doute est-ce impossible. Tout au plus peut-on le tenir sous surveillance.

270 – Vous auriez pu la mettre dans un coffre et ne plus vous en occuper.

– Non, j'ai besoin de sentir qu'elle est près de moi, sous ma garde, dans sa boîte.

– La boîte de Pandore[1], ajoutai-je, ne voulant pas rater l'occa-
275 sion d'une platitude[2]. »

Il sourit avec une indulgence[3] dont je lui fus sincèrement reconnaissant. Puis se redressant d'un coup et prenant un ton de voix fort et assuré, il me demanda :

« Que faites-vous pour le dîner ?

280 – Rien de particulier… »

Trois ou quatre fois déjà, nous avions poursuivi des conversations dans le même restaurant, un établissement assez animé, où des danseuses venaient égayer les esseulés[4]. L'hésitation que je marquai était due à l'évocation de ce lieu frivole[5] qui, ce soir,
285 ne paraissait guère convenir au sérieux de la conversation.

« Allons au chinois d'en face, me dit Reiter. »

Cette idée simple emporta mes réticences[6] et j'acceptai avec plaisir. À l'évidence, nous n'avions pas atteint le véritable fond

---

1. **Boîte de Pandore** : dans la mythologie, jarre contenant tous les maux de l'humanité, que Pandore ouvrit par curiosité, laissant ainsi se répandre le mal sur la Terre.
2. **Platitude** : parole d'une grande banalité.
3. **Indulgence** : capacité à excuser facilement, à comprendre les erreurs des autres.
4. **Égayer les esseulés** : divertir les hommes seuls.
5. **Frivole** : superficiel, léger.
6. **Réticences** : hésitations.

de l'histoire qu'il voulait me raconter et j'étais assez intrigué par le rôle que ledit Rahawal pouvait y tenir.

Devant l'entrée du Galle Face, une longue esplanade borde la mer. Un parapet de pierre domine la plage : quand la mer se retire, le sable est tout hérissé de troncs d'arbres plantés en brise-lames[1], noircis par le sel et couverts de grappes de coquillages. À la tombée du soir, et les fins de semaine, les habitants de la ville se rassemblent là, pour lancer des cerfs-volants que la brise de mer entraîne à des hauteurs étonnantes. Dès la sortie de l'hôtel, la bousculade du front de mer nous assaillit. Des marchands de pop-corn et de glaces avaient installé leurs remorques un peu partout et des groupes souvent très jeunes passaient de l'une à l'autre en riant. La brise fraîche mêlait à l'aigreur marine des relents de patchouli[2] et de grillade. La foule était suffisamment bruyante pour nous dispenser de l'être et nous traçâmes notre chemin l'un derrière l'autre jusqu'à l'angle de l'esplanade où brillait l'enseigne orange et jaune de la « Cigogne impériale ».

À peine installés devant nos bols de porcelaine, Reiter, comme je le pressentais, reprit le fil de son histoire, qu'il n'avait, semble-t-il, jamais quitté.

« Hier matin, commença-t-il sans le moindre préambule, j'ai reçu la visite d'un délégué suisse du CICR[3]. Il est venu me parler d'un rapport à paraître à Genève le mois prochain. C'est une enquête très complète sur la guerre dans ce pays. Vous connaissez ce document ?

– Non. À l'ambassade, nous avons quelqu'un pour les questions humanitaires…

– Le Suisse a accepté de m'en laisser une copie. Je l'ai lue d'une traite dans mon bureau. Il y a tout là-dedans. C'est absolument accablant. On y décrit par le menu la répression

1. **Brise-lames** : digue.
2. **Relents de patchouli** : fortes odeurs que dégage une variété de plante tropicale.
3. **CICR** : Comité International de la Croix-Rouge.

gouvernementale, la condition des prisonniers rebelles dans les geôles[1], les exactions[2] contre les civils, la torture… Mais on trouve aussi un tableau très complet des violations des droits de l'homme commises par la guérilla[3]. Les rebelles sont fascinés par la mort, le sacrifice ; ils fanatisent[4] des enfants pour en faire des combattants aveugles qui ne pensent qu'à s'immoler[5] en commettant des attentats suicides.

– Il me semble que tout cela a déjà été dit…

– Pas aussi clairement. Pas avec autant de détails horribles. En tout cas, j'ai été bouleversé. Depuis que j'ai choisi cette nouvelle voie, je n'avais pas encore éprouvé l'impression d'être face à un drame aussi profond que celui de la Seconde Guerre mondiale. J'ai vu beaucoup de souffrances mais aucune, j'ignore pourquoi, ne m'avait paru à la mesure de celle qu'avait endurée mon père. »

Des nems bien gras avaient été déposés devant nous et la faim qui me tenaillait me permit de les engloutir sans être incommodé par leur odeur rance[6]. Reiter, lui, ne paraissait même pas s'être rendu compte de la présence de ces nourritures terrestres.

« Cet après-midi, poursuivit-il, je ne suis pas allé au bureau. J'avais besoin de remettre mes idées en place, en restant tranquillement chez moi. Rahawal était là. D'habitude, il travaille seul et j'imagine qu'il ne fait pas grand-chose. Ma présence le contrariait. Il s'est mis à déployer une activité bruyante. Je l'entendais cogner l'aspirateur contre les portes. Vers quatre heures, je lui ai demandé du thé et l'idée m'est venue de lui en faire préparer deux. Pendant qu'il le boirait avec moi, j'aurais la paix. Peut-être avais-je surtout envie de discuter. »

---

1. **Geôles** : cellules de prison.
2. **Exactions** : actes de violence.
3. **Guérilla** : ensemble des groupes rebelles.
4. **Fanatisent** : rendent une personne fanatique, c'est-à-dire animée d'une conviction excessive et irraisonnée pour une cause.
5. **S'immoler** : se donner la mort en se sacrifiant.
6. **Rance** : de nourriture périmée.

Je fis signe au serveur de changer les plats, bien que Reiter eût à peine touché au sien. Mais, à l'évidence, il était lancé et je n'avais plus qu'à le laisser aller jusqu'au bout de son propos.

350 « Officiellement, Rahawal n'a rien à voir avec les rebelles, bien entendu. En réalité, il a de nombreux liens avec eux. Peut-être même me surveille-t-il pour leur compte. Je lui demandai donc s'il confirmait ce que j'avais lu; s'il savait, par exemple, qu'existaient bien au nord, dans les zones contrôlées par la guérilla, des 355 jardins pour enfants voués au culte des morts, décorés de photos de combattants martyrs[1], jeunes pour la plupart, sympathiques, souriants et qui, le plus souvent, s'étaient déchiquetés eux-mêmes en faisant sauter des ceintures d'explosifs au milieu d'attroupements de civils. Il confirma et précisa à ma demande que dans 360 ces étranges parcs à jeux, les balançoires étaient en forme de mitraillettes et des coques d'obus transformées en toboggan. Je lui parlai aussi des commandos noirs dressés à donner la mort et à commettre des actes de barbarie. Il me dit qu'il ne s'agissait pas de barbarie mais de guerre, une guerre juste de surcroît[2] et 365 qui légitimait[3] l'emploi de moyens exceptionnels.

Jamais encore Rahawal n'avait pris le parti des rebelles aussi clairement, mais cet après-midi, il avait décidé de me provoquer. Nous parlâmes des prisonniers et il justifia avec les mêmes arguments la torture et les exécutions arbitraires[4]. J'essayai d'employer 370 le vieil argument dit de réciprocité : il ne faut pas faire aux autres ce que vous ne voudriez pas qu'ils vous fassent, etc. Il me regarda en ricanant et prit l'air faussement benêt[5] de celui qui ne comprend pas (mais je voyais son œil pétiller). Il me dit : "Mais, voyons, les rebelles se moquent pas mal de ce qu'on leur fera s'ils sont

---

1. **Martyrs** : personnes qui consentent à se laisser tuer pour témoigner de leur foi en une idée.
2. **De surcroît** : en outre, de plus.
3. **Légitimait** : justifiait.
4. **Arbitraires** : sans aucune logique ou justification.
5. **Benêt** : simple d'esprit.

prisonniers, puisqu'ils ont leur capsule ! – Quelle capsule ? lui demandai-je. – La capsule de cyanure[1], qui pend autour de leur cou. Ils en portent tous une, attachée par une petite chaîne. S'ils sont prisonniers, ils la croquent et c'est fini : ils sont morts. Hi ! Hi ! Alors pourquoi voudriez-vous qu'ils se privent de faire ce qu'ils veulent avec leurs prisonniers ?" Je le regardai sévèrement et lui dis : "De leurs prisonniers *vivants*, Rahawal." Il se contenta de hausser les épaules, avec la mimique de celui qui n'y peut rien si les autres font des bêtises. »

Reiter n'avait pas non plus touché au second plat et je jugeai charitable de dire quelques mots pour qu'il s'interrompe et se nourrisse.

« Il est gonflé, votre Rahawal, de s'afficher comme ça en faveur des rebelles. La police a des oreilles partout, dans notre bonne capitale. Ça pourrait lui coûter cher.

– Il est plus prudent d'habitude mais il sait bien que je n'irai jamais le dénoncer, quoi que j'en pense. D'ailleurs, il a même poussé l'audace un peu plus loin. Quand je lui ai demandé s'il accepterait de mettre un de ses enfants dans ces camps de préparation à la mort, il m'a regardé avec un sourire ironique qui voulait dire : « Cherchez vous-même. » Son insolence a eu le don de me mettre en fureur, je l'ai insulté et, là, je crois qu'il a eu peur. Pas de la police ni de mon opinion, mais simplement de perdre sa place quand il a vu que je me fâchais.

– Je ne vois pas pourquoi vous discutez avec quelqu'un de fanatisé. C'est inutile.

– Vous ne comprenez pas, s'écria Reiter avec un geste d'impatience qui me fit échapper ma boulette de riz, ce n'était pas pour lui en particulier que je parlais. Mais pour moi, seulement pour moi. J'avais besoin de crier à quelqu'un ce que j'avais sur le cœur. Alors, je lui ai tout sorti.

---

1. **Cyanure** : poison.

Il ricana mais c'était un petit rire sinistre, comme le cri d'un malade qui lance: "Je suis guéri", au moment de rendre l'âme.

Tout sorti, oui. Je lui ai parlé de l'engrenage[1] de la barbarie. Je lui ai demandé s'il ne voyait pas le danger qu'il y a à adopter
410 les méthodes criminelles de l'État contre lequel on veut lutter et à rivaliser de violence aveugle avec lui. Que se passera-t-il demain si ses amis les rebelles viennent au pouvoir? L'appareil totalitaire[2] qu'ils ont mis au point dans la guerre prendra des proportions monstrueuses dans la paix et ils seront pires que
415 ceux qu'ils veulent remplacer. »

Reiter s'interrompit un instant et versa un peu de bière chinoise dans sa gorge incendiée par la colère.

« La discussion a duré près d'une heure, si on peut appeler ça une discussion, parce qu'il n'y avait que moi qui parlais. Le pauvre
420 Rahawal, voyant dans quel état j'étais, m'a simplement écouté, avec un air vaguement respectueux où l'accablement se mêlait à l'impatience. Mais je m'en moquais. J'étais hors de moi. J'ai continué mon tour du monde de l'indignation. J'ai pris des exemples partout, des Khmers rouges[3] aux Talibans[4], de la révolution ira-
425 nienne[5] aux maoïstes chinois[6], des Kurdes du PKK[7] au FLN algérien[8]. Je ne suis pas sûr que ça lui disait quoi que ce soit. Mais je m'obstinais. Je voulais lui montrer qu'il fallait juger les intentions de ceux qui veulent le pouvoir *avant* qu'ils ne s'en

---

1. **Engrenage**: enchaînement de faits qu'on ne peut pas interrompre.
2. **Appareil totalitaire**: dictature.
3. **Khmers rouges**: mouvement politique et militaire communiste qui a gouverné le Cambodge de 1975 à 1979 en instaurant une dictature d'une extrême violence.
4. **Talibans**: mouvement fondamentaliste musulman.
5. **Révolution iranienne**: révolution de 1979 au cours de laquelle l'État impérial d'Iran a été renversé pour instaurer une république islamique.
6. **Maoïstes chinois**: partisans de la doctrine communiste totalitaire développée en Chine par Mao Zedong de 1949 à 1976.
7. **Kurdes du PKK**: membres du Parti des travailleurs du Kurdistan, organisation armée visant à l'indépendance des territoires à population majoritairement kurde.
8. **FLN algérien**: Front de Libération Nationale, parti politique algérien fondé en 1954 pour obtenir l'indépendance de l'Algérie alors département français.

saisissent. Finalement, comme il fallait s'y attendre, j'ai ramené
430 tout cela à l'Europe et je me suis retrouvé en train de lui parler du IIIe Reich, des camps, du programme d'extermination qui était déjà lisible dans les déclarations d'Hitler avant la guerre. Et tout d'un coup, je me suis brutalement rendu compte de mon ridicule. Pour ne pas perdre complètement contenance,
435 j'ai quitté la pièce en claquant la porte... »

À ce moment du récit de Reiter, un diplomate canadien de ma connaissance se leva de table avec quelques amis et nous salua aimablement. C'était un intermède[1] bienvenu, qui me permit de demander l'addition. Reiter en profita pour engloutir quelques
440 bouchées de bœuf à la sauce piquante. Il avait visiblement besoin de reprendre des forces.

«Je n'ai pas cessé d'y penser, après être sorti de chez moi. Et tout à coup, je me suis souvenu que l'an dernier j'avais rencontré Rahawal dans la rue avec un enfant de sept ans d'une étonnante
445 beauté. Il avait le teint très sombre, comme un bronze patiné[2], et au milieu de cette obscurité brillaient deux grands yeux d'un vert émeraude, avec des cils fins et longs. Rahawal me l'a présenté comme son fils et, par la suite, je lui demandais souvent de ses nouvelles. Il me disait invariablement que l'enfant allait bien et
450 soudain, il y a six mois de cela, il m'a annoncé gravement mais avec une étrange indifférence qu'il était mort. Je suis sûr maintenant qu'il en a fait un martyr pour la cause. J'ai repensé à ces yeux verts d'une troublante innocence et je les imagine maintenant remplis d'une terrible haine, quelque part dans le Nord, à moins
455 qu'ils ne soient déjà déchiquetés par une bombe... »

J'ai profité de la mélancolie de Reiter pour payer la modeste addition et l'entraîner dehors. Une fois dans la rue, nous avons fait quelques pas en silence dans la direction du quartier résidentiel où nous habitons l'un et l'autre. Les petits marchands avaient

1. **Intermède**: pause.
2. **Un bronze patiné**: une statue en bronze brunie par l'usure du temps.

tous replié leurs étals[1]. Une fraîcheur plaisante courait dans les rues grises. L'asphalte[2] poudreux était jonché d'emballages de frites et de bâtonnets en bois.

« Rahawal a dû sérieusement craindre pour son emploi, après ma colère, dit Reiter en soufflant une profonde bouffée de tabac. Quand je me suis absenté vers quatre heures pour un rendez-vous que j'avais en ville, il a redoublé d'ardeur pour briquer[3] la maison. Il tenait absolument à me faire plaisir. Malheureusement, mon logement est petit et je vis en célibataire, comme vous le savez. Cela ne donne pas beaucoup d'occasions à un employé à plein-temps pour faire du zèle[4]. Tout était déjà propre et rangé. Rahawal a cherché désespérément le moyen de frapper un grand coup et de se racheter. Du moins, je pense que c'est comme ça que ça s'est passé. »

Trois chiens pelés passaient en caravane[5], et dans le désert de la rue qu'éclairait la lune, on avait presque envie de les saluer.

« Voilà, quand je suis rentré tout à l'heure, Rahawal était parti. J'ai repris une douche, la quatrième de la journée, mais avec la moiteur d'ici… Ensuite, j'ai cherché une tenue propre pour venir prendre un verre avec vous. J'ai ouvert ma penderie. Tous mes costumes y étaient bien proprement alignés, comme d'habitude, sur des cintres. J'ai saisi les vestes une par une par l'épaule, pour trouver ma saharienne[6] beige. »

Nous nous étions arrêtés, je ne saurais dire pourquoi, sans doute parce que Reiter s'était figé. En tout cas, quand je me tournai vers lui, il était livide.

« C'est à ce moment-là que je l'ai remarquée. Elle était impeccablement présentée, entre mon costume de lin et un smoking

1. **Étals** : tables servant à exposer les marchandises.
2. **Asphalte** : revêtement de la route.
3. **Ardeur pour briquer** : entrain pour astiquer, nettoyer.
4. **Faire du zèle** : faire plus que ce qui est demandé.
5. **En caravane** : l'un derrière l'autre.
6. **Saharienne** : veste en coton ou en lin.

que je garde dans une housse. Elle que je n'avais jamais vue
que froissée, jetée en boule, chiffonnée, conservée mais sans
490 égard, presque avec haine. Rahawal l'avait sortie de sa mallette,
lavée, repassée, et elle était bien tendue sur son cintre, comme
gonflée d'épaules humaines, avec ses rayures grises et bleues.
Il avait même recousu le triangle rouge et le numéro du camp.
La veste de Buchenwald était prête. Pour moi. Pour tout le monde.
495 L'horreur était sortie de sa boîte. »

Arrêt sur lecture 2

Un quiz pour commencer

Cochez les bonnes réponses.

1 *Dans* Pauvre petit garçon !, *quel est le surnom de Dolfi ?*

- ❐ Général.
- ☒ Laitue.
- ❐ Microbe.

2 ***En quoi Dolfi est-il différent des autres enfants ?***

- ☒ Il est beaucoup plus maigre qu'eux.
- ❐ Il est beaucoup plus studieux qu'eux.
- ❐ Il n'aime pas jouer à la guerre.

3 ***Comment réagit Dolfi au mauvais tour que lui jouent ses camarades ?***

- ❐ Il s'en moque car il a l'habitude d'être l'objet de plaisanteries.
- ❐ Il s'isole et refuse de revenir au jardin public.
- ☒ Il est extrêmement malheureux et pleure à gros sanglots.

4 *Dans* La Rédaction, *que font les parents de Pedro le soir ?*

- ☐ Ils aident Pedro à faire ses devoirs.
- ☐ Ils regardent la télévision.
- ☒ Ils écoutent la radio.

5 *Qui demande à Pedro et à ses camarades de raconter leurs soirées en famille dans une rédaction ?*

- ☐ La maîtresse.
- ☐ Leïva.
- ☒ Le capitaine Romo.

6 *Quelles sont les opinions politiques des parents de Pedro ?*

- ☐ Ils soutiennent le général Pinochet au pouvoir.
- ☒ Ils rejettent l'idéologie fasciste du gouvernement.
- ☐ Ils ne s'intéressent pas à la politique.

7 *Dans quel pays se situe l'action de la nouvelle* Garde-robe *?*

- ☐ En Allemagne.
- ☐ Au Chili.
- ☒ Au Sri Lanka.

8 *Quel est le travail de Reiter, l'ami du narrateur ?*

- ☐ Il travaille dans la diplomatie.
- ☒ Il travaille dans l'humanitaire.
- ☐ Il travaille dans la finance.

9 *Pourquoi les relations entre Reiter et son majordome se dégradent-elles ?*

- ☐ Reiter considère que son majordome ne fait pas correctement son travail.
- ☐ Reiter soupçonne son majordome de lui avoir dérobé des objets précieux.
- ☒ Reiter soupçonne son majordome d'appartenir à un groupe rebelle violent.

Des questions pour aller plus loin

→ *Analyser le regard que portent les nouvellistes sur l'Histoire du xxe siècle*

Des personnages et des événements historiques

1 Observez la description des personnages dans *Pauvre petit garçon!* (l. 5-12 et l. 61-74) et complétez le tableau suivant. Que constatez-vous ? Quel sentiment le portrait de Dolfi suscite-t-il chez le lecteur ?

	Caractéristiques physiques	Caractéristiques morales
Dolfi		
Les autres enfants		

2 À quel moment et par quel moyen l'identité de Dolfi est-elle révélée ? Dans quelle mesure cette révélation vous invite-t-elle à relire l'ensemble de la nouvelle ?

3 Dans *Garde-robe* et *La Rédaction*, relevez les éléments du texte qui renvoient aux conflits politiques se déroulant dans le pays où se situe l'action. D'après vous, pourquoi ces événements ne sont-ils pas clairement désignés ?

4 Dans *La Rédaction*, pourquoi certains individus, comme le père de Daniel, sont-ils arrêtés par la police ? Aidez-vous notamment des notes de bas de page pour répondre.

5 Quels indices permettent de déduire les opinions politiques des parents de Pedro ?

La dénonciation des violences de l'Histoire

6 B2i Quel effet la fanfare évoquée dans *Pauvre petit garçon!* (l. 120) a-t-elle sur Dolfi ? Quel lien peut-on établir avec les parades nazies ? Pour répondre, aidez-vous de votre manuel d'Histoire et visionnez la vidéo sur le site http://fresques.ina.fr/jalons/fiche-media/InaEdu02028/le-parti-nazi-tient-son-7eme-congres-annuel-a-nuremberg.html

7 Comment comprenez-vous l'expression employée par Reiter dans *Garde-robe* : « l'engrenage de la barbarie » (l. 408) ? Dans quelle mesure peut-on lier cette expression à la nouvelle *Pauvre petit garçon!* ?

8 Pourquoi le père de Pedro dit-il qu'il faudra « acheter un jeu d'échecs » (l. 348) après avoir lu la rédaction de son fils ? Pedro a-t-il dit la vérité dans sa rédaction ? Quel acte a-t-il accompli ainsi ?

9 Quel type de régime politique est mis en cause dans chacune de ces trois nouvelles ?

Zoom sur *Garde-robe* (p. 61-79)

10 Quel débat oppose Reiter à son majordome ? Relisez le passage lignes 366 à 383 et relevez leurs arguments respectifs.

11 Observez la réplique de Reiter ligne 418 à 435 et faites la liste des événements et des personnages historiques mentionnés. En vous aidant des notes de bas de page, dites quels sont leurs points communs.

12 Pourquoi Reiter conserve-t-il la veste que son père portait lorsqu'il était prisonnier en camp de concentration ? Que représente-t-elle pour lui ?

13 Comment interprétez-vous le geste final de Rahawal ? Est-ce selon vous une ultime provocation à l'égard de Reiter ou un moyen de s'excuser ?

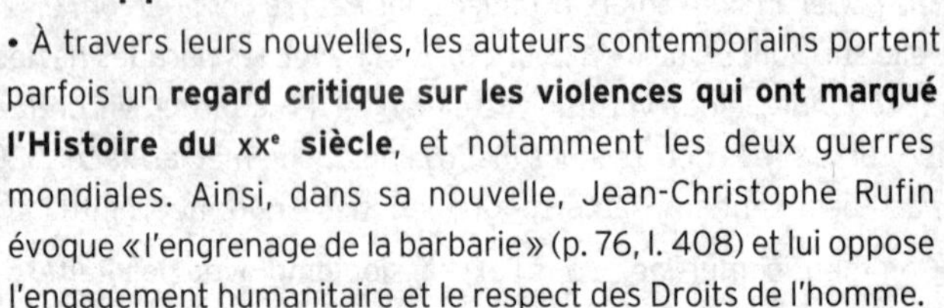

✔ *Rappelez-vous !*

• À travers leurs nouvelles, les auteurs contemporains portent parfois un **regard critique sur les violences qui ont marqué l'Histoire du XXᵉ siècle**, et notamment les deux guerres mondiales. Ainsi, dans sa nouvelle, Jean-Christophe Rufin évoque « l'engrenage de la barbarie » (p. 76, l. 408) et lui oppose l'engagement humanitaire et le respect des Droits de l'homme.

• Face aux **menaces qui pèsent sur le monde d'aujourd'hui**, les auteurs font parfois preuve d'humour et de dérision comme Dino Buzzati et Antonio Skármeta dans leurs nouvelles.

De la lecture à l'écriture

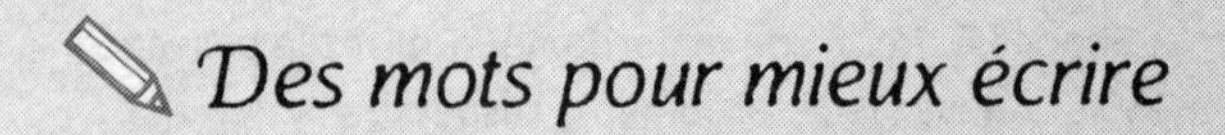

Des mots pour mieux écrire

1 a. *À l'aide d'un dictionnaire, trouvez l'intrus qui s'est glissé dans chacune de ces listes.*

A. Anéantissement | Bombardement | Extermination | Pacifisme | Violence

B. Dictature | Indépendance | Joug | Oppression | Totalitarisme

C. Commémoration | Mémorial | Omission | Souvenir | Témoignage

b. *Dites à quel champ lexical appartiennent les mots de chacune de ces listes.*

2 ***Reliez chacune des expressions suivantes à sa définition. Vous pouvez vous aider d'un dictionnaire***

À la guerre comme à la guerre	•	•	L'argent
Être sur le pied de guerre	•	•	Être à bout d'arguments, renoncer par lassitude
Agir de guerre lasse	•	•	S'accommoder des inconvénients liés à une situation
Le nerf de la guerre	•	•	Procédé adroit consistant à mettre son adversaire en difficulté
Enterrer la hache de guerre	•	•	Se tenir prêt à réagir
De bonne guerre	•	•	Parvenir à un accord de paix

À vous d'écrire

1 Sujet d'imagination. En vous inspirant de la nouvelle *Pauvre petit garçon!*, racontez une anecdote sur l'enfance d'un personnage célèbre dont vous ne révélerez l'identité qu'à la fin.

Consigne À la manière de Dino Buzzati, vous rédigerez votre texte, d'une trentaine de lignes, à la troisième personne du singulier et aux temps du passé. Vous veillerez à ménager un effet de surprise à la fin de votre récit.

2 Sujet de réflexion. La connaissance des événements du passé nous permet-elle de mieux comprendre le monde d'aujourd'hui ?

Consigne Vous présenterez votre réflexion à la première personne du singulier dans un développement argumenté et organisé d'une trentaine de lignes.

Du texte à l'image

Pablo Picasso, *La Guerre et la Paix*, huile sur bois, 1952, chapelle de Vallauris.

➡ **Image reproduite en début d'ouvrage, au verso de la couverture.**

Lire l'image

1 Observez la composition de cette fresque (disposition, couleurs, proportions, etc.) et montrez qu'elle est organisée en diptyque, c'est-à-dire en deux parties distinctes.

2 Relevez les éléments qui illustrent la guerre et ceux qui illustrent la paix. Que symbolisent la balance et la colombe à gauche de la fresque ? Comment appelle-t-on ce type de représentation ?

3 Selon vous, que représentent les chevaux piétinant un livre ouvert au centre de la fresque ? Dans quelle mesure peut-on dire que *La Guerre et la Paix* est une œuvre engagée ?

Comparer le texte et l'image

4 À quelle(s) nouvelle(s) de la deuxième partie du recueil cette œuvre vous fait-elle penser ? Justifiez votre réponse.

5 Quelle vision de la guerre cette fresque et les nouvelles que vous venez de lire donnent-elles ?

À vous de créer

6 B2i Faites des recherches sur Internet au sujet de la sculpture de Maurizio Cattelan intitulée *Him*. À l'aide d'un logiciel de traitement de texte et d'image, présentez cette œuvre en mettant en lumière ses points communs avec la nouvelle *Pauvre petit garçon !* de Dino Buzzati (effet créé par la sculpture vue de dos, puis de face, titre de l'œuvre, etc.).

Critique
de la société contemporaine

J'ai soif d'innocence

Romain Gary

Romain Gary (1914-1980), de son vrai nom Roman Kacew, est un écrivain français d'origine lituanienne. En 1956, il reçoit le Prix Goncourt pour *Les Racines du ciel*, prix qu'il sera le seul auteur français à recevoir une seconde fois en 1975 avec *La Vie devant soi*, sous le pseudonyme d'Émile Ajar. Diplomate, il parcourt le monde et observe les hommes, révélant dans certains de ses textes les dérives d'une société gouvernée par l'argent et le profit, comme dans la nouvelle suivante.

Lorsque je décidai enfin de quitter la civilisation et ses fausses valeurs et de me retirer dans une île du Pacifique, sur un récif[1] de corail, au bord d'une lagune[2] bleue, le plus loin possible d'un monde mercantile[3] entièrement tourné vers les biens matériels, je le fis pour des raisons qui ne surprendront que les natures vraiment endurcies.

J'avais soif d'innocence. J'éprouvais le besoin de m'évader de cette atmosphère de compétition frénétique[4] et de lutte pour le profit où l'absence de tout scrupule[5] était devenue la règle et où, pour une nature un peu délicate et une âme d'artiste comme la mienne, il devenait de plus en plus difficile de se

---

1. **Récif** : rocher.
2. **Lagune** : étendue d'eau peu profonde.
3. **Mercantile** : qui repose sur le commerce de marchandises dans le but de faire du profit.
4. **Frénétique** : ininterrompue.
5. **Scrupule** : doute sur la moralité d'une action.

procurer ces quelques facilités matérielles indispensables à la paix de l'esprit.

Oui, c'est surtout de désintéressement[1] que j'avais besoin. Tous ceux qui me connaissent savent le prix que j'attache à cette qualité, la première et peut-être même la seule que j'exige de mes amis. Je rêvais de me sentir entouré d'êtres simples et serviables, au cœur entièrement incapable de calculs sordides[2], auxquels je pourrais tout demander, leur accordant mon amitié en échange, sans craindre que quelque mesquine[3] considération d'intérêt ne vînt ternir[4] nos rapports.

Je liquidai[5] donc les quelques affaires personnelles dont je m'occupais et arrivai à Tahiti[6] au début de l'été.

Je fus déçu par Papeete.

La ville est charmante, mais la civilisation y montre partout le bout de l'oreille, tout y a un prix, un salaire, un domestique y est un salarié et non un ami et s'attend à être payé au bout du mois, l'expression « gagner sa vie » y revient avec une insistance pénible et, ainsi que je l'ai dit, l'argent était une des choses que j'étais décidé à fuir le plus loin possible.

Je résolus donc d'aller vivre dans une petite île perdue des Marquises[7], Taratora, que je choisis au hasard sur la carte, et où le bateau du Comptoir perlier d'Océanie jetait l'ancre trois fois par an.

Dès que je pris pied sur l'île, je sentis que mes rêves étaient enfin sur le point de se réaliser.

Toute la beauté mille fois décrite, mais toujours bouleversante, lorsqu'on la voit enfin de ses propres yeux, du paysage polynésien,

---

1. **Désintéressement** : comportement d'une personne qui agit sans considérer son propre intérêt.
2. **Sordides** : bas, liés à l'appât du gain.
3. **Mesquine** : motivée par l'avarice.
4. **Ternir** : abîmer, faire perdre de la valeur à.
5. **Liquidai** : réglai.
6. **Tahiti** : île de la Polynésie française dont la plus grande ville est Papeete.
7. **Marquises** : archipel de la Polynésie française.

s'offrit à moi au premier pas que je fis sur la plage : la chute verti-
40 gineuse des palmiers de la montagne à la mer, la paix indolente[1] d'une lagune que les récifs entouraient de leur protection, le petit village aux paillotes[2] dont la légèreté même semblait indiquer une absence de tout souci et d'où courait déjà vers moi, les bras ouverts, une population dont, je le sentis immédiatement, on
45 pouvait tout obtenir par la gentillesse et l'amitié.

Car, comme toujours avec moi, c'est surtout à la qualité des êtres humains que je fus le plus sensible.

Je trouvai là sur pied une population de quelques centaines de têtes qu'aucune des considérations de notre capitalisme[3] mesquin
50 ne paraissait avoir touchée et qui était à ce point indifférente au lucre[4] que je pus m'installer dans la meilleure paillote du village et m'entourer de toutes les nécessités immédiates de l'existence, avoir mon pêcheur, mon jardinier, mon cuisinier, tout cela sans bourse délier[5], sur la base de l'amitié et de la fraternité la plus
55 simple et la plus touchante et dans le respect mutuel.

Je devais cela à la pureté d'âme des habitants, à leur merveilleuse candeur[6], mais aussi à la bienveillance particulière à mon égard de Taratonga.

Taratonga était une femme âgée d'une cinquantaine d'années,
60 fille d'un chef dont l'autorité s'était étendue autrefois sur plus de vingt îles de l'archipel. Elle était entourée d'un amour filial[7] par la population de l'île et, dès mon arrivée, je déployai tous mes efforts pour m'assurer son amitié. Je le fis tout naturellement, sans essayer de me montrer différent de ce que j'étais, mais, au
65 contraire, en lui ouvrant mon âme. Je lui exposai les raisons

---

1. **Indolente** : nonchalante, calme.
2. **Paillotes** : habitations traditionnelles recouvertes de paille.
3. **Capitalisme** : système économique fondé sur la recherche du profit personnel.
4. **Lucre** : profit recherché avec avidité (péjoratif).
5. **Sans bourse délier** : sans rien payer.
6. **Candeur** : pureté morale.
7. **Elle était entourée d'un amour filial** : les gens l'aimaient comme leur fille.

qui m'avaient poussé à venir dans son île, mon horreur du vil[1] mercantilisme et du matérialisme[2] sordide, mon besoin déchirant de redécouvrir ces qualités de désintéressement et d'innocence hors desquelles il n'est point de survie pour l'humain, et je lui confiai ma joie et ma gratitude d'avoir enfin trouvé tout cela auprès de son peuple. Taratonga me dit qu'elle me comprenait parfaitement et qu'elle n'avait elle-même qu'un but dans la vie : empêcher que l'argent ne vînt souiller[3] l'âme des siens. Je compris l'allusion et l'assurai solennellement[4] que pas un sou n'allait sortir de ma poche pendant tout mon séjour à Taratora. Je rentrai chez moi et, pendant les semaines qui suivirent, je fis de mon mieux pour observer la consigne qui m'avait été donnée si discrètement. Je pris même tout l'argent que j'avais et l'enterrai dans un coin de ma case[5].

J'étais dans l'île depuis trois mois, lorsqu'un jour un gamin m'apporta un cadeau de celle que je pouvais désormais appeler mon amie Taratonga.

C'était un gâteau de noix, qu'elle avait préparé elle-même à mon intention, mais ce qui me frappa immédiatement ce fut la toile dans laquelle le gâteau était enveloppé.

C'était une grossière toile à sac, mais peinte de couleurs étranges, qui me rappelaient vaguement quelque chose ; et, au premier abord, je ne sus quoi.

J'examinai la toile plus attentivement et mon cœur fit un bond prodigieux dans ma poitrine.

Je dus m'asseoir.

---

1. **Vil** : méprisable.
2. **Matérialisme** : recherche d'une satisfaction qui ne peut être obtenue que par la possession de biens matériels.
3. **Souiller** : salir, altérer la pureté.
4. **Solennellement** : de manière grave, sérieuse.
5. **Case** : habitation traditionnelle rudimentaire.

Je pris la toile sur mes genoux et la déroulai soigneusement. C'était un rectangle de cinquante centimètres sur trente et la peinture était craquelée et à demi effacée par endroits.

Je restai là un moment, fixant la toile d'un œil incrédule[1].

Mais il n'y avait pas de doute possible.

J'avais devant moi un tableau de Gauguin[2].

Je ne suis pas grand connaisseur en matière de peinture, mais il y a aujourd'hui des noms dont chacun sait reconnaître sans hésiter la manière. Je déployai encore une fois la toile d'une main tremblante et me penchai sur elle. Elle représentait un petit coin de la montagne tahitienne et des baigneuses au bord d'une source, et les couleurs, les silhouettes, le motif lui-même étaient à ce point reconnaissables que, malgré le mauvais état de la toile, il était impossible de s'y tromper.

J'eus, à droite, du côté du foie, ce pincement douloureux qui, chez moi, accompagne toujours les grands élans du cœur.

Une œuvre de Gauguin, dans cette petite île perdue ! Et Taratonga qui s'en était servie pour envelopper son gâteau ! Une peinture qui, vendue à Paris, devait valoir cinq millions ! Combien d'autres toiles avait-elle utilisées ainsi pour faire des paquets ou pour boucher des trous ? Quelle perte prodigieuse pour l'humanité !

Je me levai d'un bond et me précipitai chez Taratonga pour la remercier de son gâteau.

Je la trouvai en train de fumer sa pipe devant sa maison, face à la lagune. C'était une forte femme, aux cheveux grisonnants, et malgré ses seins nus, elle conservait, même dans cette attitude, une dignité admirable.

« Taratonga, lui dis-je, j'ai mangé ton gâteau. Il était excellent. Merci. »

Elle parut contente.

---

1. **Incrédule** : qui ne croit pas ce qu'il voit.
2. **Paul Gauguin** (1848-1903) : peintre français qui passa les dernières années de sa vie dans les îles Marquises où il peignit de nombreuses toiles.

« Je t'en ferai un autre aujourd'hui. »

J'ouvris la bouche, mais ne dis rien. C'était le moment de faire preuve de tact. Je n'avais pas le droit de donner à cette femme majestueuse l'impression qu'elle était une sauvage qui se servait des œuvres d'un des plus grands génies du monde pour faire des paquets. J'avoue que je souffre d'une sensibilité excessive, mais je tenais à éviter cela à tout prix.

Quitte à recevoir un autre gâteau enveloppé dans une toile de Gauguin, je devais me taire. La seule chose qui n'a pas de prix, c'est l'amitié.

Je revins donc dans ma case et attendis.

L'après-midi, le gâteau arriva, enveloppé dans une autre toile de Gauguin. Elle était dans un état encore plus piteux[1] que la précédente. Quelqu'un semblait même avoir gratté la toile avec un couteau. Je faillis me précipiter chez Taratonga. Mais je me retins. Il fallait procéder avec prudence. Le lendemain, j'allai la voir et lui dis avec simplicité que son gâteau était la meilleure chose que j'eusse jamais mangée.

Elle sourit avec indulgence[2] et bourra sa pipe.

Au cours des huit jours suivants, je reçus de Taratonga trois gâteaux enveloppés dans trois toiles de Gauguin. Je vivais des heures extraordinaires. Mon âme chantait – il n'y a pas d'autre mot pour décrire les heures d'intense émotion artistique que j'étais en train de vivre.

Puis le gâteau continua à arriver, mais sans enveloppe.

Je perdis complètement le sommeil. Ne restait-il plus d'autres toiles, ou bien Taratonga avait-elle simplement oublié d'envelopper le gâteau ? Je me sentais vexé et même légèrement indigné. Il faut bien reconnaître que malgré toutes leurs qualités, les indigènes[3] de Taratora ont également quelques graves défauts

1. **Piteux** : abîmé.
2. **Indulgence** : capacité à pardonner les défauts des autres.
3. **Indigènes** : habitants originaires de l'île.

dont une certaine légèreté, qui fait qu'on ne peut jamais compter sur eux complètement. Je pris quelques pilules pour me calmer et essayai de trouver un moyen de parler à Taratonga sans attirer son attention sur son ignorance. Finalement, j'optai pour la franchise. Je retournai chez mon amie.

« Taratonga, lui dis-je, tu m'as envoyé à plusieurs reprises des gâteaux. Ils étaient excellents. Ils étaient, de plus, enveloppés dans des toiles de sacs peintes qui m'ont vivement intéressé. J'aime les couleurs gaies. D'où les as-tu ? En as-tu d'autres ?

– Oh ! ça… dit Taratonga avec indifférence. Mon grand-père en avait tout un tas.

– Tout… un tas ? bégayai-je.

– Oui, il les avait reçues d'un Français qui habitait l'île et qui s'amusait comme ça, à couvrir des toiles de sacs avec des couleurs. Il doit m'en rester encore.

– Beaucoup ? murmurai-je.

– Oh ! je ne sais pas. Tu peux les voir. Viens. »

Elle me conduisit dans une grange pleine de poissons secs et de coprah[1]. Par terre, couvertes de sable, il y avait une douzaine de toiles de Gauguin. Elles étaient toutes peintes sur des sacs et avaient beaucoup souffert, mais il y en avait plusieurs qui étaient encore en assez bon état. J'étais pâle et tenais à peine sur mes jambes. « Mon Dieu, pensai-je encore, quelle perte irréparable pour l'humanité, si je n'étais pas passé par là ! » Cela devait aller chercher dans les trente millions…

« Tu peux les prendre, si tu veux, dit Taratonga. »

Un combat terrible se livra alors dans mon âme. Je connaissais le désintéressement de ces êtres merveilleux et ne voulais pas introduire dans l'île, dans l'esprit de ses habitants, ces notions mercantiles de prix et de valeur qui ont déjà sonné le glas[2] de tant de paradis terrestres. Mais tous les préjugés de notre civilisation,

1. **Coprah** : partie de la noix de coco utilisée pour son huile.
2. **Sonné le glas** : sonné la fin, causé la perte.

que je tenais malgré tout bien ancrés[1] en moi, m'empêchaient d'accepter un tel cadeau sans rien offrir en échange. D'un geste, 185 j'arrachai de mon poignet la superbe montre en or que je possédais et la tendis à Taratonga.

« Laisse-moi t'offrir à mon tour un cadeau, la priai-je.

– Nous n'avons pas besoin de ça ici pour savoir l'heure, dit-elle. Nous n'avons qu'à regarder le soleil. »

190 Je pris alors une décision pénible.

« Taratonga, lui dis-je, je suis malheureusement obligé de rentrer en France. Des raisons humanitaires me l'ordonnent. Justement, le bateau arrive dans huit jours et je vais vous quitter. J'accepte ton cadeau. Mais à condition que tu me permettes de faire quelque 195 chose pour toi et les tiens. J'ai un peu d'argent. Oh ! très peu. Permets-moi de te le laisser. Vous avez tout de même besoin d'outils et de médicaments.

– Comme tu voudras, dit-elle avec indifférence. »

Je remis sept cent mille francs à mon amie. Puis je saisis les toiles 200 et courus vers ma paillote. Je passai une semaine d'inquiétude en attendant le bateau. Je ne savais pas ce que je craignais au juste. Mais j'avais hâte de partir de là. Ce qui caractérise certaines natures artistiques, c'est que la contemplation égoïste de la beauté ne leur suffit pas, elles éprouvent au plus haut point le besoin 205 de partager cette joie avec leurs semblables. J'étais pressé de rentrer en France, d'aller chez les marchands de tableaux leur offrir mes trésors. Il y en avait pour une centaine de millions. La seule chose qui m'irritait, c'était que l'État allait sûrement prélever trente à quarante pour cent du prix obtenu. Car tel est 210 l'envahissement par notre civilisation du domaine le plus privé du monde, celui de la beauté.

À Tahiti, je dus attendre quinze jours un bateau pour la France. Je parlai aussi peu que possible de mon atoll[2] et de Taratonga.

1. **Ancrés** : attachés, enracinés.
2. **Atoll** : petite île d'un archipel.

Je ne voulais pas que l'ombre de quelque main commerçante vînt se jeter sur mon paradis. Mais le propriétaire de l'hôtel où j'étais descendu connaissait bien l'île et Taratonga.

« C'est une fille assez sensationnelle, me dit-il un soir. »

Je gardai le silence. Je trouvai le mot « fille », appliqué à un des êtres les plus nobles que je connaisse, parfaitement outrageant[1].

« Elle vous a naturellement fait voir ses peintures ? » demanda mon hôte.

Je me redressai.

« Pardon ?

– Elle fait de la peinture et assez bien, ma parole. Elle a passé trois ans aux Arts décoratifs à Paris, il y a une vingtaine d'années. Et lorsque les cours du coprah sont devenus ce que vous savez, avec les synthétiques, elle est revenue dans l'île. Elle fait des espèces d'imitations de Gauguin assez étonnantes. Elle a un contrat régulier avec l'Australie. Ils lui paient ses toiles vingt mille francs la pièce. Elle vit de ça… Qu'est-ce qu'il y a, mon vieux ? Ça ne va pas ?

– Ce n'est rien, bafouillai-je. »

Je ne sais pas où je trouvai la force de me lever, de monter dans ma chambre et de me jeter sur le lit. Je demeurai là, prostré[2], saisi par un profond, un invincible dégoût. Une fois de plus, le monde m'avait trahi. Dans les grandes capitales comme dans le plus petit atoll du Pacifique, les calculs les plus sordides avilissent[3] les âmes humaines. Il ne me restait vraiment qu'à me retirer dans une île déserte et à vivre seul avec moi-même si je voulais satisfaire mon lancinant[4] besoin de pureté.

1. **Outrageant** : insultant.
2. **Prostré** : abattu, anéanti.
3. **Avilissent** : dégradent, rendent méprisables.
4. **Lancinant** : obsédant.

Le Courrier

Sylvain Tesson

Grand voyageur, l'écrivain et journaliste Sylvain Tesson (né en 1972) est familier des expéditions en solitaire. Le héros de la nouvelle suivante, parue dans le recueil *Une vie à coucher dehors* récompensé par le Prix Goncourt de la nouvelle en 2009 (voir aussi p. 12 et p. 30), est un naufragé solitaire qui, loin de la civilisation, pose sur les hommes un regard lucide et parfois amer.

… et puisque tes serments n'étaient que des paravents[1] *derrière lesquels tu trahissais l'amour, puisque tes lettres n'étaient que des mots et qu'aucun de tes mots ne peut être pris à la lettre, je te quitte en te maudissant d'avoir transformé en haine pour les hommes l'amour que j'éprouvais envers l'un d'eux.*

Jane.

Il remit la lettre dans l'enveloppe et resta silencieux, à genoux dans le sable. Il était bien embêté. D'abord, il exécrait le lyrisme[2]. Mais ce n'était pas le plus grave. Peut-être sa curiosité avait-elle été punie par les dieux ? Il s'était fait une joie d'utiliser le petit couteau : une belle lame de nacre[3] qu'il avait taillée puis emmanchée dans un morceau de bois de cocotier. La confection lui avait demandé deux jours entiers et quand il avait contemplé le résultat, il avait été plein de satisfaction : même jeté sur ce rivage,

1. **Paravents** : panneaux utilisés pour masquer une partie d'une pièce.
2. **Il exécrait le lyrisme** : il détestait l'expression exaltée des sentiments.
3. **Nacre** : coquillage.

en plein Pacifique, il était capable de s'offrir un magnifique petit objet qui n'aurait pas déparé[1] autrefois sur son bureau d'acajou de l'université de Wilflingen[2]. Mais, à présent, il regrettait d'avoir décacheté[3] la lettre.

Fallait-il s'accorder une autre chance ? Le sac était là, ouvert, offert. Il plongea la main et prit une nouvelle enveloppe.

… si j'avais écouté mon intuition, tu aurais su plus tôt que ma porte et mon cœur te sont fermés à jamais. Crois ma déception à la hauteur de mon mépris.

Salomon.

Cette fois c'était la malchance. Il fallait s'opiniâtrer[4]. L'intention était bonne. Il ne croyait pas à la justice immanente[5], aux signes du ciel, et tout ce fatras de sorcier. Il était seul et bien seul ici, et les circonstances l'autorisaient à s'octroyer cette petite licence. Personne ne pouvait rien lui reprocher. La lettre suivante avait été envoyée de la poste centrale de Miami et redirigée à Los Angeles avant d'embarquer sur le bateau postal *Staten Island*, qui assurait la liaison transocéanique avec l'Australie. L'enveloppe d'aspect très ordinaire ressemblait à celles qu'on glisse dans les urnes[6]. Il se délecta du crissement du papier entaillé par la nacre. Cela lui rappela les heures matinales de l'hiver souabe[7] où il ouvrait son courrier dans l'odeur du café.

---

1. **N'aurait pas déparé** : n'aurait pas été mal assorti.
2. **Wilflingen** : ville située en Allemagne.
3. **Décacheté** : ouvert.
4. **S'opiniâtrer** : persévérer.
5. **Justice immanente** : justice qui relève directement des dieux.
6. **Urnes** : boîtes servant à recevoir les bulletins de vote lors d'une élection.
7. **Souabe** : de la Souabe, région allemande.

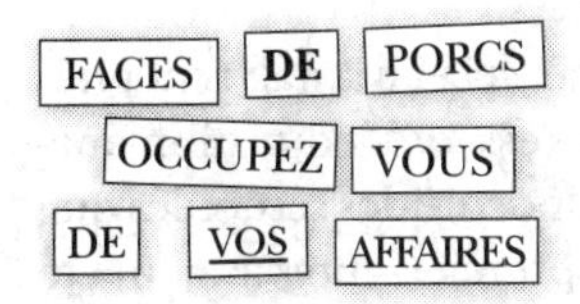

Une lettre anonyme ! Il jeta le couteau. Il ne pâlit pas parce que des mois d'exposition tropicale lui avaient rissolé[1] le visage. Mais les larmes lui montèrent aux yeux et deux traînées d'escargot coulèrent sur le sel de ses joues. Fallait-il qu'il ait la main maudite. Il se souvint qu'enfant il ne tirait jamais le bon numéro du chapeau. Mais on n'était pas à la loterie de l'école ici ! On était dans le Pacifique, au sud de l'archipel des îles Cook, à quelques centaines de kilomètres du tropique du Capricorne et il était naufragé sur cet atoll[2] désert depuis quatre mois. Les débris du *Staten Island*, sur lequel il avait loué une cabine de passager pour gagner l'Australie, reposaient par quatre cents mètres de fond. Le navire avait heurté la barre de corail aux lueurs de l'aube lors du typhon[3] du 26 novembre 1946. Il fut le seul survivant, jeté sur le sable au milieu d'une collection de débris de bois et de deux malles étanches. La première contenait des vivres. La seconde, un sac de courrier.

Il déchira l'enveloppe de l'index.

Père Noël, je n'ai plus que toi, Papa vient de mourir, Maman est partie avec le médecin qui le soignait. Petit Pierre n'a pas de bras pour écrire et Jacques ne voit pas assez bien car la poussière de la mine lui a abîmé les yeux. Je ne te demanderai pas de jouets comme les Smith mais de quoi soigner Auntie qui tousse de plus en plus et d'ailleurs je dois te laisser parce qu'il faut changer son bavoir.

Emma.

1. **Rissolé** : fait brunir.
2. **Atoll** : petite île d'un archipel.
3. **Typhon** : cyclone tropical du Pacifique.

Il avait hésité longtemps. En Allemagne, cela lui aurait répugné[1] de lire une lettre qui ne lui était pas adressée. L'éducation anabaptiste de l'Oberland bernois lui avait inoculé des scrupules que seule pouvait subvertir l'adversité[2]. Les premiers mois avaient été consacrés à la survie. Mais une fois que les choses extraordinaires que sont la pêche aux coquillages, le harponnage[3] des poissons de lagon, la récolte de l'eau de pluie sur les bâches de toile cirée et l'ouverture des noix de coco avec le tranchant d'un bivalve[4] furent devenues pure routine, il y avait eu de la place pour la réflexion. Et l'apitoiement[5] sur soi-même lui avait tenu lieu de première pensée. Les heures étaient désespérément longues sur l'atoll. Le soleil s'accrochait au zénith[6] et y tenait l'équilibre sans l'intention de décliner. Dans le ciel blanc, sidéré de chaleur[7], le temps ne passait pas. Rien n'est long à venir comme le soir qu'on attend à l'ombre d'un cocotier. Il avait commencé à lorgner[8] le sac de courrier. Il y avait là de quoi triompher de l'ennui. Il ne s'était résolu que ce matin-là à puiser dedans.

… je vais te le dire enfin : une chiure de filaire, la honte des raclures, le produit d'une nuit d'amour entre un prurit et un chancre. Tu es de la dernière race après celle des cloportes. Les nématodes[9] *te recracheraient. Je te débarque de ma vie par la vidange de l'oubli et…*

---

1. **Répugné** : rebuté, dégoûté.
2. **L'éducation […] l'adversité** : il avait reçu en Allemagne une éducation religieuse protestante qui lui avait inculqué des valeurs d'honnêteté que seules les circonstances de sa situation pouvaient bouleverser.
3. **Harponnage** : pêche au harpon.
4. **Bivalve** : coquillage à la coquille très tranchante.
5. **Apitoiement** : fait de se plaindre.
6. **Zénith** : point le plus haut du soleil.
7. **Sidéré de chaleur** : fortement frappé par la chaleur.
8. **Lorgner** : regarder avec insistance et du coin de l'œil.
9. **Chiure de filaire** : excrément de ver de terre ; **raclures** : déchets ; **prurit, chancre** : bactéries à l'origine de maladies de la peau ; **cloportes** : petits insectes rampants ; **nématodes** : vers de terre.

Ne pas abandonner. La pureté de son âme absolvait[1] son geste. Il ne s'agissait que de s'offrir un peu de bon temps avec les histoires des autres. Tirer une lettre pour se distraire gentiment, mettre un peu de baume sur sa détresse. Une lettre, c'est un petit peu de compagnie, la preuve qu'on a pensé à vous. Cette attention, née du passé, écrite au présent et destinée à l'avenir survit, voyage, s'achemine lentement vers vous, triomphe des kilomètres et soudain, lorsqu'on ouvre l'enveloppe, vous saute au cou, vous salue et vous fête comme un petit chien heureux.

Eddy, je te hais je te hais je te hais je te hais je te hais je te hais je te hais je te hais je te hais je te hais je te hais je te hais je te hais je te hais je te hais je te hais je te…

Trois pages comme cela. Son dessein[2] était pourtant simple. Mener en douce une incursion dans l'intimité des gens pour se sentir moins seul, partager des secrets insignifiants. S'évader en picorant dans le courrier. Il y avait un monde dans ce sac. Forcément, statistiquement, quelques turpitudes[3]. Mais cela allait s'améliorer. Il fallait trouver les pépites. Ensuite, remettre gentiment les lettres dans les enveloppes.

… de pire en pire mon vieux Poulin ! Je reviens de Londres ! La jeunesse ensorcelée par la Jeanfoutrerie[4] ! Plus un seul Homme dans les rues ! Tous évaporés en un an ! Des jouisseurs, des invertébrés, des éponges infectées ! Les métèques au pinacle[5], les femmes aux commandes. Les leviers[6] dans les mains nègres ! La reconstruction qu'ils appellent cela et…

---

1. **Absolvait** : pardonnait, excusait.
2. **Dessein** : projet, intention.
3. **Turpitudes** : actions et paroles honteuses.
4. **Jeanfoutrerie** : attitude caractéristique des jean-foutre (injure vulgaire pour désigner une personne à la moralité critiquable).
5. **Les métèques au pinacle** : les étrangers au sommet de la société.
6. **Leviers** : instruments de commande.

Il froissa la lettre et la jeta à l'eau. Le ressac[1] joua avec la boule de papier et l'avala. Ce qu'il fallait, c'était un peu de grain à moudre pour son imagination, un point d'appui pour rêver. Quelques mots tendres suffiraient : un ou deux prénoms lâchés dans la lettre, une allusion à un rendez-vous, et lui s'occuperait du reste : à l'ombre des palmes[2], il imaginerait des avenirs radieux, il construirait des châteaux pour amants, lancerait des flottes de gondoles[3] sur les canaux de la Giudicella[4]. Il avait des ressources ! Sa pensée se tenait prête à bâtir des lunes de miel !

… les choses simplement : si je n'obtiens pas de réponse à ce courrier dans un mois et demi, je comprendrai que tout est fini, je prendrai mes quartiers[5] dans la patrie de mon chagrin et je ne viendrai plus jamais te troubler même en pensée et même s'il m'en coûte la vie puisque la mienne ne pèse rien sans toi…

Il changea de technique. Jusqu'ici le hasard ne lui avait réservé que des déconvenues[6]. Il vida le sac sur le sable et fouilla le tas. Son œil fut attiré par une enveloppe de couleur rose décorée d'une frise de fleurs. Une main enfantine avait écrit l'adresse à l'encre turquoise : Adélaïde[7]. Parfait augure[8]. C'était la ville où il devait s'installer ! Il avait démissionné de son poste de biologiste pour oublier l'Allemagne, la guerre, les mornes[9] campagnes et les villes en ruine. Il s'apprêtait à prendre ses nouvelles fonctions au département de recherche sur les récifs coralliens[10] de la faculté d'études océanographiques d'Adélaïde.

---

1. **Ressac** : mouvement des vagues au bord du rivage.
2. **Palmes** : feuilles de palmier.
3. **Gondoles** : barques effilées utilisées pour circuler sur les canaux de Venise.
4. **Giudicella** : île de Venise.
5. **Prendrai mes quartiers** : m'installerai.
6. **Déconvenues** : fortes déceptions.
7. **Adélaïde** : ville d'Australie.
8. **Augure** : signe annonciateur.
9. **Mornes** : tristes, monotones.
10. **Récifs coralliens** : rochers de corail.

… il faisait un temps splendide et la chambre était embaumée de fleurs. Elle n'a pas souffert. Elle voulait t'écrire une lettre, mais le temps a manqué. Tout est allé si vite. Je t'envoie l'enveloppe dont elle a elle-même rédigé l'adresse de sa petite main. Sache…

Le soleil lui frappait l'occiput[1]. Il ne sentait pas la brûlure. Il cherchait une fleur dans un tas de fumier. Au hasard une autre lettre.

… 10 000 $??!! you bastard, you idiot, you fucking son of a bitch[2]*…*

Le croiseur[3] *USS Renville* aborda deux jours plus tard. L'homme de quart[4] avait repéré une fumée sur l'atoll. L'équipage mit une chaloupe[5] à l'eau. Le capitaine débarqua sur la plage et fut très troublé par l'accueil de ce malheureux déguenillé[6] qui lui désigna un sac postal sur le rivage, refusa d'embarquer et lui dit d'une voix morte :

« Emportez cela, capitaine, et laissez-moi. Je ne tiens pas trop à regagner ce monde. »

1. **Occiput** : sommet du crâne.
2. Énumération d'insultes en anglais.
3. **Croiseur** : grand navire militaire.
4. **L'homme de quart** : représentant du capitaine dans la marine.
5. **Chaloupe** : petite embarcation dirigée à l'aide de rames.
6. **Déguenillé** : vêtu de haillons, de vêtements sales et déchirés.

Le Reflet

Didier Daenincks

Didier Daeninckx (né en 1949) est un écrivain français, connu pour ses romans noirs, ancrés dans la réalité politique et sociale du XXe siècle. Il écrit également de nombreuses nouvelles, comme *Le Reflet*, extraite du recueil *Main courante*. On retrouve dans ce texte bref un des thèmes chers à l'auteur, celui du préjugé et du regard que l'on porte sur les autres et sur soi.

Toujours en train de gueuler, d'éructer[1], d'agonir[2] !

Derrière son dos, ça fusait, les insultes. Le porc, l'ordure, le führer[3]… Impossible de tenir autrement. Les courbettes par-devant, les salamalecs[4], le miel, le cirage. Et l'antidote[5] dès la porte franchie. Apprendre à sourire dans le vide en serrant les dents. Le pire c'était les premiers temps, quand on arrivait à son service, alléché par le salaire de mille dollars nourri-logé… Il vous laissait approcher en vous regardant de ses yeux morts, et vous plaquait les mains sur le visage, vérifiant l'ourlé[6] des lèvres, l'épatement[7] du nez, le grain de la peau, le crépu des cheveux. Au moindre doute le vieux se mettait à hurler de dégoût.

« Enfant de pute, virez-moi ça, c'est un Noir ! »

Le type y allait de sa protestation.

« Non monsieur, je vous jure… »

---

1. **Éructer** : s'exprimer de façon très bruyante.
2. **Agonir** : accabler quelqu'un d'injures.
3. **Le führer** : surnom qui désigne Adolf Hitler (voir note 6, p. 48).
4. **Courbettes, salamalecs** : marques de politesse excessives (familier).
5. **Antidote** : remède.
6. **Ourlé** : forme, volume.
7. **Épatement** : largeur, épaisseur.

Mais ça ne servait à rien. Il repartait plein d'amertume[1], un billet de cent dollars scotché sur la bouche, incapable de comprendre qu'il était tombé du bon côté et que l'horreur attendait les rescapés surpayés de la sélection.

L'aveugle habitait un château construit à flanc de colline, à quelques kilomètres de Westwood[2], et toute la communauté vivait en complète autarcie[3] sur les terres environnantes, cultivant le blé, cuisant le pain, élevant le bétail. Le vieux ne s'autorisait qu'un luxe : l'opéra et les cantatrices[4] blanches qu'il faisait venir chaque fin de semaine et qui braillaient[5] toutes fenêtres ouvertes, affolant la basse-cour.

Il ne dormait pratiquement pas, comme si l'obscurité qui l'accompagnait depuis sa naissance lui épargnait la fatigue. Ses gens lui devaient vingt-quatre heures quotidiennes d'allégeance[6]. Le toubib[7] vivait en état d'urgence permanent et tenait grâce aux cocktails de Valium et de Témesta[8] qu'il ingurgitait matin midi et soir. Le vieux prenait un malin plaisir à l'asticoter[9], contestant ses diagnostics, refusant ses potions. Ces persécutions[10] n'empêchèrent pas le docteur d'avertir son patient de la découverte d'un nouveau traitement qui parvenait à rendre la vue à certaines catégories d'aveugles. Le vieux embaucha une douzaine d'enquêteurs aryens[11] et leurs investigations établirent que le procédé en question ne devait rien aux Noirs.

---

1. **Amertume** : tristesse, déception.
2. **Westwood** : ville du New Jersey, aux États-Unis.
3. **En complète autarcie** : sans échange avec l'extérieur.
4. **Cantatrices** : chanteuses d'opéra.
5. **Braillaient** : criaient d'une voix assourdissante.
6. **Allégeance** : obéissance, soumission totale.
7. **Toubib** : médecin (familier).
8. **Valium, Témesta** : tranquillisants.
9. **Asticoter** : irriter, énerver (familier).
10. **Persécutions** : mesures violentes et arbitraires prises à l'encontre de quelqu'un.
11. **Aryens** : d'origine aryenne, c'est-à-dire issus de peuples blancs d'Europe, considérés comme supérieurs selon certaines théories racistes reprises notamment par Adolf Hitler pour justifier le nazisme (voir note 6, p. 48).

On fit venir à grands frais la sommité[1] et son bloc opératoire. Le vieux se coucha de bonne grâce sur le billard et s'endormit sous l'effet du penthotal[2]. Il se réveilla dans le noir absolu et demeura trois longs jours la tête bandée, ignorant si ses yeux voyaient ou non ses paupières.

Le chirurgien retira enfin les pansements. Le vieux ouvrit prudemment les yeux et poussa un cri terrible. Un Noir à l'air terrible lui faisait face. Il se tourna vers le chirurgien, terrorisé.

« Qu'est-ce que ça veut dire ! Foutez-le dehors… »

Le toubib qui nettoyait les instruments s'approcha doucement de lui, posa la main sur son épaule et l'obligea à regarder droit devant lui.

« Alors il faut que vous sortiez… Ce que vous avez devant vous s'appelle une glace, monsieur : ceci est votre reflet. »

---

1. **Sommité** : personne réputée pour ses compétences, ici dans le domaine médical.
2. **Penthotal** : substance anesthésiante (aussi appelée sérum de vérité).

Le Credo

Jacques Sternberg

Jacques Sternberg (1923-2006) est un journaliste et écrivain français. Il commence à écrire ses premiers romans à l'âge de dix-neuf ans et se tourne d'abord vers le fantastique et la science-fiction. Il publie également une quinzaine de recueils de nouvelles, comme *Histoires à dormir sans vous* dont est extrait *Le Credo*. Ce texte, qui met en scène un jeune homme victime de la publicité, fournit à l'auteur l'occasion de formuler une critique de la société de consommation à la fois violente et pleine d'humour.

Il avait toujours été fasciné par la publicité à la télévision. Il n'en manquait jamais aucune, les jugeait pleines d'humour, d'invention, et même les films l'intéressaient moins que les coupures publicitaires dont ils étaient lardés[1]. Et pourtant la pub ne le poussait guère à la consommation effrénée[2], loin de là. Sans être avare, ni particulièrement économe, il n'associait pas du tout la publicité à la notion d'achat.

Jusqu'au jour où il abandonna son apathie[3] d'avaleur d'images pour prendre quelque recul et constater que la plupart des pubs ménagères, alimentaires, vacancières ou banalement utilitaires étaient toutes, d'une façon ou d'une autre, fondées sur la notion du plus, de la réussite à tous les niveaux, de la santé à toute

---

1. **Lardés** : entrecoupés.
2. **Effrénée** : sans limite.
3. **Apathie** : attitude passive et indifférente.

épreuve, de l'hygiène à tout prix, de la force et de la beauté obtenues en un seul claquement de doigt.

Or, il avait toujours vécu avec la conscience d'être un homme fort peu remarquable, ni bien séduisant ni tellement laid, de taille moyenne, pas très bien bâti, plutôt fragile, pas spécialement attiré par les femmes et fort peu attirant aux yeux de ces mêmes femmes. Bref, il se sentait dans la peau d'un homme comme tant d'autres, anonyme, insignifiant, impersonnel.

Il en avait souffert parfois, il s'y était fait à la longue. Jusqu'au jour où, brusquement, toutes les publicités engrangées[1] lui explosèrent dans la tête pour se concentrer en un seul flash aveuglant, converger vers une volonté bouleversante qui pouvait se résumer en quelques mots : il fallait que ça change, qu'il devienne une bête de consommation pour s'affirmer un autre, un plus, un must[2], un extrême, un miracle des mirages[3] publicitaires.

Il consacra toute son énergie et tout son argent à atteindre ce but : se dépasser lui-même. Parvenir au stade suprême : celui d'homme de son temps, de mâle, de héros de tous les jours, tous terrains, toutes voiles dehors.

C'est sur le rasoir Gillette qu'il compta pour décrocher la perfection au masculin et s'imposer comme le meilleur de tous en tout dès le matin. La joie de vivre, il l'ingurgita en quelques minutes grâce à deux tasses de Nescafé. Après s'être rasé, il s'imbiba de Savane, l'eau de toilette aux effluves sauvages qui devaient attirer toutes les femmes, à l'exception des laiderons[4], évidemment. Et pour mettre encore plus d'atouts dans son jeu, en sortant de son bain, il s'aspergea de City, le parfum de la réussite. Sans oublier d'avaler son verre d'eau d'Évian, la seule qui devait le mener aux sources pures de la santé. Il croqua ensuite une tablette de Nestlé, plus fort en chocolat, ce qui ne pouvait que le rendre plus

1. **Engrangées** : accumulées durant sa vie.
2. **Un must** : ce qu'il faut absolument posséder pour être à la mode (familier).
3. **Mirages** : illusions.
4. **Laiderons** : jeunes femmes laides.

fort dans la vie. Puis il décapsula son Danone se délectant de ce yaourt spermatique[1], symbole visuel de la virilité. Et termina par quelques gorgées de Contrex, légendaire contrat du bonheur.

Il eut la prudence de mettre un caleçon Dim, celui du mâle heureux. Sa chemise avait été lavée par Ariel qui assurait une propreté insoutenable repérable à cent mètres. Il rangea ses maigres fesses dans un Levi's pour mieux les rendre fascinantes à chaque mouvement. Il enfila ses Nike à coussins d'air, avec la conscience de gagner du ressort pour toute la journée. Son blouson Adidas lui donna un supplément d'aisance, celle des jeunes cadres qui vivaient entre jogging et marketing.

Avant de sortir pour aller au bureau, il vida une bouteille de Coca-Cola pour sentir lui couler dans les veines la sensation Coke, il croqua ensuite une bouchée Lion qui le fit rugir de bonheur et le gorgea d'une bestiale volonté de défier le monde de tous ses crocs. Il ne lui restait plus qu'à poser sur son nez ses verres solaires Vuarnet, les lunettes du champion[2], et d'allumer une Marlboro, la cigarette de l'aventurier toujours sûr de lui, que ce soit dans la savane ou sur le périphérique.

Lesté, des yeux aux pieds, de tous ces ingrédients de choc, il aborda sa journée de morne[3] travail aux assurances en enlevant avec brio[4] quelques affaires en suspens depuis des semaines et constata que plusieurs employées se retournaient sur son passage dans les corridors, sans compter que l'une d'elles lui avait adressé quelques mots.

Il quitta le bureau au milieu de l'après-midi pour aller dans un pub voisin où il commanda un Canada Dry, le dégustant avec la mâle assurance du buveur de whisky certain de ne pas dévier

1. **Spermatique** : relatif au sperme, ici associé à la virilité des athlètes souvent choisis pour faire la publicité des produits de la marque.
2. **Les lunettes du champion** : allusion à Jean Vuarnet, créateur de la marque, qui était auparavant champion du monde de descente à ski.
3. **Morne** : triste, monotone.
4. **Avec brio** : avec talent.

dans l'ivresse[1]. Et rien qu'en jetant un vague regard derrière lui, il repéra immédiatement une jeune femme qui lui parut digne de se donner à lui. Elle était très joliment faite, un peu timide sans doute, mais l'air pas trop farouche et fort mignonne. Pour un homme peu habitué à la drague, il avait eu du flair et le coup d'œil. Grâce à Pink, Floc, Crash, Zoung, Blom ou Scratch[2] sans doute.

Sans hésiter, il l'invita à prendre un verre à sa table. Elle le regarda de haut en bas, eut presque l'air de le humer[3], accusa alors un léger mouvement de recul impressionné.

« M'asseoir à votre table ? dit-elle d'une voix essoufflée. Je n'oserais jamais. Vous êtes vraiment trop pour moi. »

Il la rassura, l'enjôla[4], la cajola du regard, de la parole et, à peine une heure plus tard, il se retrouvait avec elle dans son petit appartement de célibataire. Il lui servit un Martini blanc, ne prit rien et lui demanda de l'excuser un instant après lui avoir délicatement effleuré les lèvres. Il ressentait le besoin de se raser de près.

Il entra dans sa minuscule salle de bains où la jeune femme, subjuguée[5], le suivit. Il s'aspergea de mousse à raser Williams surglobulée par l'anoline R4 diluée dans du menthol vitaminé, puis il prit son rasoir Gillette et vit sa compagne se décomposer.

« Non, balbutia-t-elle, oh ! non ! Moi qui croyais que vous seriez mon idéal… Mon rêve de perfection masculine… Mais ce n'est pas avec Contour Gillette que vous vous rasez, c'est avec Gillette G.II… Rien ne sera jamais possible… »

Il n'eut même pas le temps de la rattraper, déjà elle avait ouvert et refermé la porte derrière elle.

---

1. **Certain de ne pas dévier dans l'ivresse** : le Canada Dry est une boisson non alcoolisée.
2. Noms de marques imaginés par l'auteur.
3. **Humer** : sentir, renifler.
4. **L'enjôla** : la séduisit.
5. **Subjuguée** : fascinée.

Arrêt sur lecture 3

Un quiz pour commencer

Cochez les bonnes réponses.

1 *Dans* J'ai soif d'innocence, *qu'offre Taratonga au narrateur ?*

- ❒ Un gâteau emballé dans une toile de Paul Gauguin.
- ❒ Des fruits et des poissons.
- ❒ Une montre en or.

2 *Que découvre le narrateur au sujet de ces toiles ?*

- ❒ Que ce sont de véritables toiles de Paul Gauguin.
- ❒ Que ce sont des copies peintes par Taratonga.
- ❒ Que Taratonga a volé ces toiles à un marchand d'art.

3 *Que fait le naufragé de la nouvelle* Le Courrier *pour occuper ses journées ?*

- ❒ Il construit un radeau pour quitter l'île.
- ❒ Il parcourt l'île à la recherche de nourriture.
- ❒ Il lit le courrier qui se trouve dans un sac postal échoué avec lui sur l'île.

4 *Pourquoi le naufragé refuse-t-il d'être secouru à la fin de la nouvelle ?*

❒ Parce qu'il n'a pas fini d'explorer l'île.

❒ Parce qu'il n'a pas eu le temps de lire tout le courrier.

❒ Parce qu'il préfère rester seul sur son île plutôt que de retrouver la compagnie des hommes.

5 *Dans* Le Reflet, *quel type d'employés le personnage aveugle refuse-t-il d'embaucher ?*

❒ Des Noirs.

❒ Des Blancs.

❒ Des femmes.

6 *Que découvre le personnage lorsqu'il retrouve la vue ?*

❒ Que le chirurgien qui l'a opéré est Noir.

❒ Que certains de ses employés sont Noirs.

❒ Qu'il est lui-même Noir.

7 *Dans* Le Credo, *pourquoi le personnage principal achète-t-il autant de produits de consommation ?*

❒ Parce que ses amis les lui ont conseillés.

❒ Parce que les publicités qu'il regarde en vantent les qualités.

❒ Parce qu'il en a véritablement besoin.

8 *Pourquoi la jeune fille qu'il rencontre s'enfuit-elle à la fin de la nouvelle ?*

❒ Parce qu'elle le trouve superficiel.

❒ Parce qu'elle le trouve laid.

❒ Parce qu'elle regrette qu'il n'utilise pas le dernier rasoir à la mode.

Des questions pour aller plus loin

→ *Étudier la dimension critique des nouvelles*

Une peinture cruelle de la société contemporaine

1 Relevez, dans les deux premiers paragraphes de *J'ai soif d'innocence*, les expressions que le narrateur emploie pour caractériser le monde dans lequel il vit. Ces expressions sont-elles mélioratives ou péjoratives ?

2 Quel lien peut-on établir entre le « monde mercantile » (l. 4) évoqué par le narrateur de *J'ai soif d'innocence* et celui décrit dans la nouvelle *Le Credo* ?

3 Observez les extraits des lettres lues par le personnage de la nouvelle *Le Courrier*, puis recopiez et complétez le tableau suivant. Que remarquez-vous quant à la nature des relations humaines décrites ?

N° de la lettre	**Expéditeur** (si son identité est connue)	**Destinataire** (si son identité est connue)	**Contenu de la lettre**

4 Pensez-vous que la nouvelle *Le Reflet* développe la même vision des relations humaines ? Justifiez votre réponse.

5 Quel choix de vie les personnages de *J'ai soif d'innocence* et du *Courrier* font-ils à la fin de chacune des nouvelles ? Pourquoi, selon vous ?

Des portraits sans concession

6 De quels défauts le narrateur de *J'ai soif d'innocence* fait-il la critique aux lignes 14 à 21 ? Parvient-il à trouver en Polynésie les qualités humaines recherchées ? D'après vous, quelles sont ses motivations réelles lorsqu'il décide d'emporter les tableaux à la fin de la nouvelle ?

7 Comment qualifieriez-vous les personnages féminins des nouvelles *J'ai soif d'innocence* et *Le Credo* ? Renvoient-ils une image positive de la femme ?

8 Dans *Le Reflet*, quels défauts caractérisent le personnage principal ? Lequel d'entre eux trouvez-vous le plus choquant ?

9 Dans quelle mesure peut-on dire que les personnages principaux de *J'ai soif d'innocence*, *Le Reflet* et *Le Credo* sont victimes de leurs préjugés ?

Zoom sur *Le Credo* (p. 107-110)

10 Quelle conception le personnage se fait-il de la publicité au début de la nouvelle ? Dans le deuxième paragraphe, quels éléments du texte montrent que cette conception évolue (connecteur temporel, emploi des temps...) ?

11 Relisez le passage des lignes 15 à 20. Quelles expressions caractérisent physiquement le personnage ? Quel est le point de vue adopté ici ?

12 Faites la liste des produits de consommation achetés par le personnage. Quel objectif recherche-t-il ? Son but vous semble-t-il atteint à la fin de la nouvelle ? Justifiez votre réponse.

13 Selon vous, quel message l'auteur cherche-t-il à transmettre au lecteur ? Partagez-vous son opinion ?

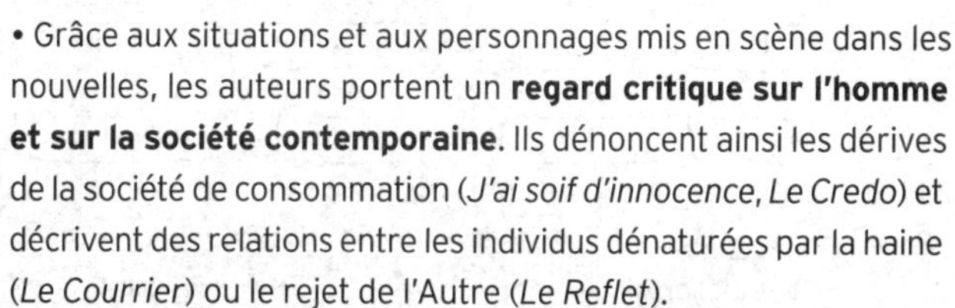

✔ *Rappelez-vous !*

• Grâce aux situations et aux personnages mis en scène dans les nouvelles, les auteurs portent un **regard critique sur l'homme et sur la société contemporaine.** Ils dénoncent ainsi les dérives de la société de consommation (*J'ai soif d'innocence*, *Le Credo*) et décrivent des relations entre les individus dénaturées par la haine (*Le Courrier*) ou le rejet de l'Autre (*Le Reflet*).

• La nouvelle peut être le lieu d'un **discours argumentatif.** Il s'agit d'une forme d'argumentation indirecte puisque la critique ou le message adressés au lecteur sont formulés de manière implicite. Ainsi, dans sa nouvelle *Le Reflet*, Didier Daeninck dénonce le racisme en mettant en scène un personnage odieux pris à son propre jeu.

De la lecture à l'écriture

Des mots pour mieux écrire

1 ***À l'aide d'un dictionnaire, associez deux par deux chacun des adjectifs suivants pour constituer des paires de synonymes*** *(exemple : droit–intègre).*

Affable | Aimable | Altruiste | Colérique | Dédaigneux

Généreux | Irascible | Méprisant | Ombrageux | Susceptible

2 a. *Recopiez et complétez le tableau ci-dessous, en classant les adjectifs suivants selon leur sens mélioratif ou péjoratif.*

Courtois | Cruel | Cupide | Droit

Fourbe | Généreux | Intègre | Malveillant

Sens mélioratif	Sens péjoratif

b. *Associez chacun des adjectifs de la colonne de gauche à son antonyme dans la colonne de droite.*

À vous d'écrire

1 Sujet d'imagination. Le narrateur de *J'ai soif d'innocence* adresse une lettre à Taratonga pour lui faire part de sa déception et justifier sa décision de se retirer sur une île déserte. Rédigez cette lettre.

Consigne Votre texte, d'une trentaine de lignes, présentera les sentiments et les arguments du narrateur. Vous veillerez à respecter les règles de présentation de la lettre (date, adresse au destinataire, signature).

2 Sujet de réflexion. Êtes-vous influencé(e) par la publicité lorsque vous achetez des produits de consommation ?

Consigne Vous présenterez votre réflexion dans un développement argumenté et organisé, d'une trentaine de lignes, rédigé à la première personne du singulier.

Du texte à l'image

- Norman Rockwell, *The problem we all live with*, huile sur toile, 1964, Norman Rockwell Museum, Stockbridge, États-Unis.
- Andy Warhol, *Campbell's Soup Cans*, sérigraphie, 1965, collection particulière.

➡ **Images reproduites en fin d'ouvrage, au verso de la couverture.**

Lire l'image

1 Sur la toile de Norman Rockwell, quels éléments de composition (disposition des personnages, cadrage, couleurs...) mettent en valeur la fillette ? Où se rend-elle selon vous ?

2 Que distinguez-vous sur le mur à l'arrière-plan ? Que peut-on en déduire sur l'identité des quatre hommes aux côtés de la fillette ?

3 Décrivez l'objet présent sur la sérigraphie d'Andy Warhol. En quoi cette œuvre se rapproche-t-elle d'une affiche publicitaire ?

4 Que rappelle selon vous la disposition des boîtes de soupe alignées les unes à côté des autres ?

Comparer le texte et l'image

5 Comparez le tableau de Norman Rockwell à la nouvelle de Didier Daeninckx. Quel problème de société dénoncent-ils ?

6 Quelles sont les nouvelles de la troisième partie du recueil qui évoquent la société de consommation ? Pensez-vous qu'Andy Warhol propose la même réflexion ?

À vous de créer

7 B2i En vous aidant d'Internet et des ressources de votre CDI, recherchez les autres produits de consommation qu'Andy Warhol a représentés. Avec un logiciel de traitement de texte et d'image, réalisez ensuite un diaporama dans lequel vous présenterez une sélection de ses œuvres.

Arrêt sur l'œuvre

Des questions sur l'ensemble du recueil

Des récits plaisants et variés

1 Recopiez et complétez le tableau suivant. Dressez la liste des différents personnages présents dans les nouvelles en précisant leur âge et leur classe sociale. Que remarquez-vous ?

	Personnage	Âge	Classe sociale
Titre de la nouvelle			

2 Observez la mise en page des nouvelles de Sylvain Tesson présentes dans le recueil (*La Crique*, *La Particule*, *Le Courrier*). À quoi correspondent les caractères en gras, en italique ou en majuscules ? Quelle impression cette mise en page crée-t-elle ?

3 Quel est le point de vue narratif majoritairement employé dans les nouvelles ? Donnez des exemples de récits dans lesquels s'opère un changement de point de vue et dites quel est l'effet produit.

Des histoires à lire et à relire

4 Expliquez pourquoi la chute des nouvelles *La Particule*, *Pauvre petit garçon !* et *Le Reflet* est inattendue. Sur quel élément repose l'effet de surprise final ?

5 Relevez dans *La Crique* et *La Rédaction* les indices qui auraient pu vous permettre de deviner la chute de ces deux nouvelles. Selon vous, pourquoi le genre de la nouvelle à chute oblige-t-il le lecteur à relire le texte une seconde fois ?

6 Quelle est la nouvelle dont la chute vous a le plus surpris(e) ? Justifiez votre réponse.

Une vision pessimiste du monde contemporain

7 Choisissez parmi les nouvelles du recueil un personnage dont vous déplorez les défauts. Justifiez votre choix.

8 Recopiez et complétez le tableau suivant en classant les nouvelles selon le(s) type(s) de violence qu'elles mettent en scène. Que remarquez-vous ?

Violence verbale	Violence physique	Violence psychologique

9 Quelles nouvelles dénoncent les préjugés et le règne des apparences ?

10 Dans quelles nouvelles les relations entre les hommes vous semblent-elles les plus dégradées ? Expliquez pourquoi.

11 Selon vous, quel regard portent la plupart des auteurs du recueil sur le monde contemporain ? Partagez-vous leur point de vue ? Justifiez votre réponse.

Des mots pour mieux écrire

Lexique des qualités et défauts

Altruiste : bienveillant(e) à l'égard d'autrui.
Audace : courage qui incite à agir au mépris des obstacles ou des dangers.
Avide : qui manifeste un désir immodéré de posséder quelque chose.
Cupidité : désir excessif d'accumuler pour soi les biens et les richesses.
Désintéressement : manière d'agir sans rechercher son intérêt propre.
Dignité : respect des autres et de soi.
Duplicité : caractère d'une personne qui ne se montre pas telle qu'elle est réellement, qui joue un double jeu.
Équité : principe qui consiste à agir avec justice.
Individualiste : qui agit dans son propre intérêt, sans se soucier de celui des autres.
Indulgence : capacité à comprendre et à pardonner les erreurs ou les faiblesses des autres.
Intégrité : qualité d'une personne dont la conduite et les actes sont irréprochables.
Humanité : bienveillance de l'homme envers ses semblables.
Mesquinerie : manière d'agir avec bassesse.
Naïf : qui fait preuve d'une crédulité excessive, qui se montre trop facilement confiant.
Probité : honnêteté, manière d'agir dans le respect scrupuleux des règles morales.
Superficiel : qui manque de profondeur et de sincérité.
Tolérant : qui respecte les opinions ou les croyances des autres.
Violent : agressif et brutal dans les propos ou le comportement.

Mots croisés

Tous les mots à placer dans la grille ci-contre se trouvent dans le lexique des qualités et des défauts.

Horizontalement

1. C'est le contraire de malhonnêteté.
2. C'est le contraire de générosité.
3. C'est le contraire de calme et pacifique.
4. C'est le contraire d'individualiste.

Verticalement

A. C'est le synonyme de compréhensif.
B. C'est le synonyme d'impartialité et de justice.
C. C'est le synonyme de crédule.
D. C'est le synonyme de bienveillance.

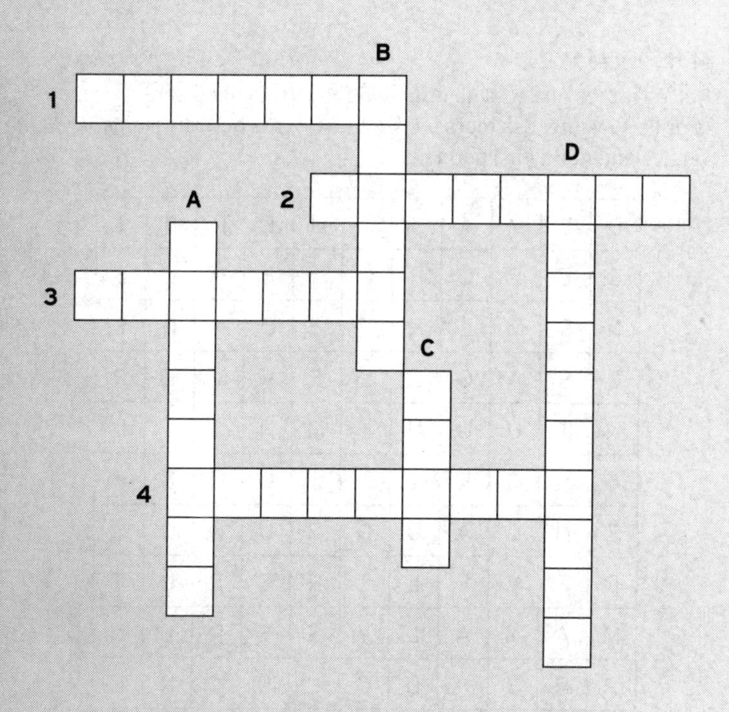

Lexique du regard critique

Analyser : observer avec attention pour comprendre le fonctionnement.
Critiquer : relever les qualités et les défauts pour émettre un jugement de valeur.
Démasquer : dissiper les apparences trompeuses.
Démontrer : prouver, établir la vérité d'un fait.
Dénoncer : révéler une chose pour qu'elle soit condamnée.
Juger : porter un regard critique.
Observer : examiner attentivement.
Préjuger : porter un jugement prématuré, avoir des idées préconçues.
Révéler : montrer, dévoiler ce qui est caché.
Scruter : regarder attentivement pour découvrir ce qui est caché.

Mots mêlés

Retrouvez les dix mots du lexique du regard critique dans la grille suivante. Les mots peuvent être écrits horizontalement, verticalement ou en diagonale.

D	E	M	A	S	Q	U	E	R	B	I
E	E	S	C	R	U	T	E	R	L	E
N	R	M	L	R	T	I	O	N	D	F
O	S	A	O	B	S	E	R	V	E	R
N	T	U	U	N	L	M	N	J	I	L
C	L	C	R	I	T	I	Q	U	E	R
E	N	G	A	U	D	R	U	G	O	S
R	E	V	E	L	E	R	E	E	U	T
M	A	N	A	L	Y	S	E	R	L	N
P	R	E	J	U	G	E	R	C	N	E

À vous de créer

1 B2i ***Écrire et mettre en page une nouvelle rédigée à partir d'un fait divers***

Par groupes de deux ou trois élèves, rédigez une nouvelle à partir d'un fait divers.

Étape 1. Lecture du fait divers

Inspirez-vous du fait divers suivant pour rédiger une nouvelle d'une trentaine de lignes minimum.

> Le tigre n'est sans doute qu'un gros chat : après plus de 24 heures de traque haletante et médiatisée, les autorités, qui avaient déployé de gros moyens pour retrouver le fauve présumé en région parisienne, ont reconnu vendredi qu'il s'agissait d'un félin *a priori* inoffensif.
>
> Source : http://www.ouest-france.fr/seine-et-marne-et-si-le-tigre-netait-en-fait-quun-gros-chat-2974751

Étape 2. Préparation au brouillon

Au brouillon, élaborez les différentes étapes qui structureront votre récit. Déterminez le cadre de l'action ainsi que le nombre et le rôle des personnages (témoins, policiers, journalistes).

Bâtissez ensuite le plan de la nouvelle (élément perturbateur, péripéties, chute).

Étape 3. Mise en page

Saisissez le texte de votre nouvelle à l'aide d'un logiciel de traitement de texte, puis mettez-le en page en structurant les différents paragraphes. Imaginez également la couverture de votre ouvrage. Pour cela, choisissez sur Internet une image libre de droit ou réalisez vous-même la couverture (dessin, collage, etc.)

2 B2i *Réaliser un photoreportage*

À votre tour de transmettre votre vision du monde d'aujourd'hui en réalisant un photoreportage.

Étape 1. **Choix du sujet**
Choisissez un sujet qui vous intéresse (le racisme, la société de consommation, l'écologie...) ou un lieu que vous fréquentez (votre quartier, votre collège, votre salle de sport...).

Étape 2. **Prise de vues**
Réalisez au moins cinq photographies rendant compte de votre sujet. L'éclairage, le cadrage (plan moyen, plan rapproché, gros plan...) et l'angle de vue (de face, en plongée ou en contre-plongée) que vous choisirez devront mettre en valeur le message que vous souhaitez faire passer.

Étape 3. **Préparation du diaporama**
À l'aide d'un logiciel de traitement de texte et d'image, mettez en page vos photographies. Pensez à les accompagner de légendes et de courts textes de présentation.

Étape 4. **Présentation**
Présentez votre photoreportage à vos camarades en justifiant vos choix et élisez ensemble le meilleur photoreportage.

Groupements de textes

Groupement 1

Regards sur le monde en poésie et en chanson

Aimé Césaire, « Partir »

Dans son recueil *Cahier d'un retour au pays natal*, le poète martiniquais Aimé Césaire (1913-2008) exprime en vers libres sa révolte contre la condition injuste des Noirs, victimes du colonialisme et du racisme. En revendiquant la reconnaissance d'une culture africaine et d'une égalité de droits entre Blancs et Noirs, il initie le courant de la « négritude » en littérature.

Partir.
Comme il y a des hommes-hyènes et des hommes-panthères,
je serais un homme-juif
un homme-cafre[1]
un homme-hindou-de-Calcutta[2]

---

1. **Cafre** : originaire de la Cafrerie, région de l'Afrique du Sud-Ouest.
2. **Hindou-de-Calcutta** : pratiquant de la religion hindoue dans une des plus grandes villes de l'Inde. Aimé Césaire fait ici référence à la colonisation anglaise en Inde.

un homme-de-Harlem-qui-ne-vote-pas[1]

l'homme-famine, l'homme-insulte, l'homme-torture on pouvait à n'importe quel moment le saisir le rouer de coups, le tuer – parfaitement le tuer – sans avoir de compte à rendre à personne sans avoir d'excuses à présenter à personne

un homme-juif

un homme-pogrom[2]

un chiot

un mendigot[3]

mais est-ce qu'on tue le Remords, beau comme la face de stupeur d'une dame anglaise qui trouverait dans sa soupière un crâne de Hottentot[4] ?

Aimé Césaire, « Partir », *Cahier d'un retour au pays natal* [1939], Présence africaine, « Poésie », 2000.

Robert Desnos, « Le legs »

Robert Desnos (né en 1900 et mort en 1945 en camp de concentration) publie « Le legs » sous le pseudonyme de Lucien Gallois, dans le recueil *L'Honneur des poètes*. Cet ouvrage collectif est paru clandestinement le 14 juillet 1943, pendant la Seconde Guerre mondiale, alors que la France était occupée par les Allemands.

Et voici, Père Hugo[5], ton nom sur les murailles !
Tu peux te retourner au fond du Panthéon[6]
Pour savoir qui a fait cela. Qui l'a fait ? On !
On c'est Hitler, on c'est Goebbels[7]… C'est la racaille,

---

1. **Harlem** : quartier de New York majoritairement afro-américain. Aimé Césaire fait ici référence à la ségrégation des Noirs qui n'avaient pas les mêmes droits que les Blancs.
2. **Pogrom** : massacre d'une minorité ethnique ou religieuse. Aimé Césaire fait ici référence aux massacres perpétrés contre la population juive de Russie entre 1821 et 1921.
3. **Mendigot** : mendiant (familier).
4. **Hottentot** : peuple de l'Afrique du Sud-Ouest.
5. **Victor Hugo** (1802-1885) : écrivain français dont certains textes sur le travail et la famille ont été utilisés par le gouvernement du maréchal Pétain à des fins de propagande.
6. **Panthéon** : monument où sont enterrées de grandes personnalités françaises.
7. **Joseph Goebbels** (1897-1945) : dirigeant et membre du IIIe Reich, régime totalitaire nazi instauré en Allemagne par Adolf Hitler de 1933 à 1945.

Un Laval, un Pétain, un Bonnard, un Brinon[1],
Ceux qui savent trahir et ceux qui font ripaille[2],
Ceux qui sont destinés aux justes représailles[3]
Et cela ne fait pas un grand nombre de noms.

Ces gens de peu d'esprit et de faible culture
Ont besoin d'alibis dans leur sale aventure.
Ils ont dit : « Le bonhomme est mort. Il est dompté. »

Oui, le bonhomme est mort. Mais par-devant notaire
Il a bien précisé quel legs il voulait faire :
Le notaire a nom : France, et le legs[4] : Liberté.

Robert Desnos, « Le legs », *L'Honneur des poètes* [1943].

Jacques Prévert, « La grasse matinée »

Dans ce poème, extrait du recueil *Paroles*, paru en 1946, Jacques Prévert (1900-1977) met en scène un homme en proie à une faim tenace. Il dénonce ainsi la misère comme conséquence d'un système social qui pousse les hommes aux pires extrémités.

Il est terrible
le petit bruit de l'œuf dur cassé sur un comptoir d'étain
il est terrible ce bruit
quand il remue dans la mémoire de l'homme qui a faim
elle est terrible aussi la tête de l'homme
la tête de l'homme qui a faim
quand il se regarde à six heures du matin
dans la glace du grand magasin
Une tête couleur de poussière

---

1. Membres du gouvernement de Vichy, dirigé par le maréchal Pétain, qui se rallie à l'Allemagne après la défaite de l'armée française en 1940.
2. **Ripaille** : festin, repas où l'on mange abondamment.
3. **Représailles** : actes de vengeance.
4. **Legs** : héritage.

ce n'est pas sa tête pourtant qu'il regarde
dans la vitrine de chez Potin[1]
il s'en fout de sa tête l'homme
il n'y pense pas
il songe
il imagine une autre tête
une tête de veau par exemple
avec une sauce de vinaigre
ou une tête de n'importe quoi qui se mange
et il remue doucement la mâchoire
doucement
et il grince des dents doucement
car le monde se paye sa tête
et il ne peut rien contre ce monde
et il compte sur ses doigts un deux trois
un deux trois
cela fait trois jours qu'il n'a pas mangé
et il a beau se répéter depuis trois jours
Ça ne peut pas durer
ça dure
trois jours
trois nuits
sans manger
et derrière ces vitres
ces pâtés ces bouteilles ces conserves
poissons morts protégés par les boîtes
boîtes protégées par les vitres
vitres protégées par les flics
flics protégés par la crainte
que de barricades pour six malheureuses sardines…

Un peu plus loin le bistrot
café-crème et croissants chauds
l'homme titube

1. **Potin** : nom d'une chaîne de magasins d'alimentation.

et dans l'intérieur de sa tête
un brouillard de mots
un brouillard de mots
sardines à manger
œuf dur café-crème
café arrosé rhum
café-crème
café-crème
café-crime arrosé sang!...
Un homme très estimé dans son quartier
a été égorgé en plein jour
l'assassin le vagabond lui a volé
deux francs
soit un café arrosé[1]
zéro franc soixante-dix
deux tartines beurrées
et vingt-cinq centimes pour le pourboire du garçon.

Il est terrible
le petit bruit de l'œuf dur cassé
sur un comptoir d'étain
il est terrible ce bruit
quand il remue dans la mémoire
de l'homme qui a faim.

Jacques Prévert, « La grasse matinée », *Paroles* [1946], Gallimard, « Folioplus classiques », 2004.

Boris Vian, « La complainte du progrès »

Dans cette chanson, Boris Vian (1920-1959), auteur notamment de *L'Écume des jours*, énumère des objets tous plus fantaisistes les uns que les autres afin de dénoncer les dérives de la société de consommation. Grâce à l'humour satirique et à la caricature, il déplore l'importance que prennent les objets par rapport aux personnes.

---

1. **Café arrosé**: café mélangé avec un alcool fort.

Autrefois pour faire sa cour
On parlait d'amour
Pour mieux prouver son ardeur
On offrait son cœur
Maintenant c'est plus pareil
Ça change, ça change
Pour séduire le cher ange
On lui glisse à l'oreille
(Ah ? Gudule !)

Viens m'embrasser,
Et je te donnerai…
Un frigidaire,
Un joli scooter,
Un atomixer[1]
Et du Dunlopillo[2]
Une cuisinière,
Avec un four en verre
Des tas de couverts
Et des pell' à gâteau !

Une tourniquette[3]
Pour fair' la vinaigrette
Un bel aérateur
Pour bouffer les odeurs

Des draps qui chauffent
Un pistolet à gaufres
Un avion pour deux
Et nous serons heureux. […]

Boris Vian, « La complainte du progrès » [1956].

1. **Atomixer** : mot-valise inventé par l'auteur et formé à partir des mots « atome » et « mixeur ».
2. **Dunlopillo** : marque de matelas.
3. **Tourniquette** : mot inventé par l'auteur pour désigner un petit fouet électrique.

Abd al Malik, « Gibraltar »

Ce texte slamé donne son titre au deuxième album d'Abd al Malik (né en 1975), primé aux Victoires de la Musique en 2007. Le jeune homme y évoque la situation d'un migrant qui s'apprête à traverser le détroit de Gibraltar, de l'autre côté duquel il espère trouver un monde meilleur. À travers ce texte engagé, il offre un regard nouveau sur l'immigration et les préjugés dont elle est l'objet.

Sur le détroit de Gibraltar[1], y'a un jeune noir qui pleure un rêve qui prendra vie, une fois passé Gibraltar.

Sur le détroit de Gibraltar, y'a un jeune noir qui se d'mande si l'histoire le retiendra comme celui qui portait le nom de cette montagne.

Sur le détroit de Gibraltar, y'a un jeune noir qui meurt sa vie bête de « gangsta rappeur » mais…

Sur le détroit de Gibraltar, y'a un jeune homme qui va naître, qui va être celui qu'les tours empêchaient d'être.

Sur le détroit de Gibraltar, y'a un jeune noir qui boit, dans ce bar où les espoirs se bousculent, une simple canette de Fanta

Il cherche comme un chien sans collier le foyer qu'il n'a en fait jamais eu, et se dit que p't-être, bientôt, il ne cherchera plus.

Et ça rit autour de lui, et ça pleure au fond de lui.

Faut rien dire et tout est dit, et soudain… soudain il s'fait derviche tourneur[2],

Il danse sur le bar, il danse, il n'a plus peur, enfin il hurle comme un fakir[3], de la vie devient disciple.

Sur le détroit de Gibraltar y'a un jeune noir qui prend vie, qui chante, dit enfin « je t'aime » à cette vie.

---

1. **Détroit de Gibraltar** : étroit passage maritime entre le sud de l'Espagne et le nord du Maroc, traversé par les populations migrant d'Afrique vers l'Europe.
2. **Derviche tourneur** : membre d'une confrérie musulmane qui atteint un état de transe en tournant sur lui-même.
3. **Fakir** : personne pratiquant des exercices à visée spirituelle dans la tradition hindoue.

Puis les autres le sentent, le suivent, ils veulent être or puisqu'ils sont cuivre.

Comme ce soleil qui danse, ils veulent se gorger d'étoiles, et déchirer à leur tour cette peur qui les voile.

Sur le détroit de Gibraltar, y'a un jeune noir qui n'est plus esclave, qui crie comme les braves, même la mort n'est plus entrave.

Il appelle au courage celles et ceux qui n'ont plus confiance, il dit: « ramons tous à la même cadence !!! ».

Dans le bar, y'a un pianiste et le piano est sur les genoux, le jeune noir tape des mains, hurle comme un fou.

Fallait qu'elle sorte cette haine sourde qui le tenait en laisse, qui le démontait pièce par pièce.

Sur le détroit de Gibraltar, y'a un jeune noir qui enfin voit la lune le pointer du doigt et le soleil le prendre dans ses bras.

Maintenant il pleure de joie, souffle et se rassoit.

Désormais l'Amour seul, sur lui a des droits.

Sur le détroit de Gibraltar, un jeune noir prend ses valises, sort du piano-bar et change ses quelques devises[1],

Encore gros d'émotion il regarde derrière lui et embarque sur le bateau.

Il n'est pas réellement tard, le soleil est encore haut.

Du détroit de Gibraltar, un jeune noir vogue, vogue vers le Maroc tout proche.

Vogue vers ce Maroc qui fera de lui un homme…

Sur le détroit de Gibraltar… sur le détroit de Gibraltar…

Vogue, vogue vers le merveilleux royaume du Maroc,

Sur le détroit de Gibraltar, vogue, vogue vers le merveilleux royaume du Maroc…

Abd al Malik, « Gibraltar », 2006.

1. **Devises** : pièces de monnaie étrangère.

Groupements de textes

Groupement 2

Visions du monde de demain

Aldous Huxley, *Le Meilleur des mondes*

Aldous Huxley (1894-1963) est un écrivain britannique célèbre notamment pour son roman *Le Meilleur des mondes*. Dans ce récit d'anticipation écrit en 1932, il imagine un monde où les enfants sont fabriqués à la chaîne, au moyen d'un étrange procédé de manipulation génétique...

« Je vais commencer par le commencement », dit le D.I.C.[1], et les étudiants les plus zélés[2] notèrent son intention dans leur cahier : *Commencer au commencement.* « Ceci – il agita sa main – ce sont les couveuses. » Et, ouvrant une porte de protection thermique, il leur montra des porte-tubes empilés les uns sur les autres et pleins de tubes à essais numérotés. « L'approvisionnement d'ovules pour la semaine. Maintenus, expliqua-t-il, à la température du sang ; tandis que les gamètes[3] mâles – et il ouvrit alors une autre porte – doivent être gardés à trente-cinq degrés, au lieu de trente-sept. La pleine température du sang stérilise. Des béliers, enveloppés de thermogène[4], ne procréent pas d'agneaux. »

Toujours appuyé contre les couveuses, il leur servit, tandis que les crayons couraient illisiblement d'un bord à l'autre des pages, une brève description du procédé moderne de la fécondation : il parla d'abord, bien entendu, de son introduction chirurgicale, « cette opération subie volontairement pour le bien de la société, sans compter qu'elle comporte une prime

---

1. **D.I.C.** : Directeur de l'Incubation et du Conditionnement, techniques permettant le développement des ovules fécondés à l'aide de couveuses, qui recréent artificiellement les conditions *in utero*.
2. **Zélés** : extrêmement appliqués.
3. **Gamètes** : cellules reproductrices.
4. **Thermogène** : sorte de tissu employé en médecine, qui engendre de la chaleur.

se montant à six mois d'appointements[1] » ; il continua par un exposé sommaire de la technique de la conservation de l'ovaire excisé[2] à l'état vivant et en plein développement ; passa à des considérations sur la température, la salinité, la viscosité optima[3] ; il fit allusion à la liqueur dans laquelle on conserve les ovules, détachés et venus à maturité ; et, menant ses élèves aux tables de travail, leur montra effectivement comment on retirait cette liqueur des tubes à essais ; comment on la faisait tomber goutte à goutte sur les lames de verre [...], comment les ovules fécondés retournaient aux couveuses ; où les Alphas et les Bêtas demeuraient jusqu'à leur mise en flacon définitive, tandis que les Gammas, les Deltas et les Epsilons[4] en étaient extraits, au bout de trente-six heures seulement, pour être soumis au Procédé Bokanovsky.

« Au procédé Bokanovsky », répéta le Directeur, et les étudiants soulignèrent ces mots dans leurs calepins.

Un œuf, un embryon, un adulte, – c'est la norme. Mais un œuf bokanovskifié a la propriété de bourgeonner, de proliférer[5], de se diviser : de huit à quatre-vingt-seize bourgeons, et chaque bourgeon deviendra un embryon parfaitement formé, et chaque embryon, un adulte de taille complète. On fait ainsi pousser quatre-vingt-seize êtres humains là où il n'en poussait autrefois qu'un seul. Le progrès.

Aldous Huxley, *Le Meilleur des mondes* [1932],
trad. de l'anglais par J. Castier, Pocket, 2002.

---

1. **Appointements** : rémunérations.
2. **Excisé** : enlevé à l'aide d'instruments chirurgicaux.
3. **Salinité** : taux de sel ; **viscosité optima** : état visqueux maximal.
4. Dans le roman, les lettres grecques désignent les différentes classes d'individus dans la société, de la plus élevée, les Alphas, à la plus basse, les Epsilons.
5. **Proliférer** : se multiplier.

René Barjavel, *Ravage*

Dans ce roman écrit en 1943 par René Barjavel (1911-1985), la France de 2052 a été frappée par une gigantesque panne d'électricité qui a entraîné l'effondrement total de la société et la disparition de nombreux êtres humains. Les quelques survivants, rassemblés autour de leur chef, le patriarche François, ont constitué une communauté dans laquelle ils vivent comme aux premiers temps de l'humanité, sans aucune technologie. Mais n'est-ce pas justement le propre de l'homme que de chercher à améliorer son quotidien par la technique ? C'est du moins ce que suggère l'extrait suivant…

La nuit tombe sur le village. Derrière le forgeron[1] debout, la machine rougeoie et halète[2]. Elle est bâtie d'énormes poutres de bois, d'une grande chaudière de cuivre, et de roues et de pistons et d'autres organes de bronze. Elle gicle une vapeur qui tournoie autour d'elle.

La barbe du patriarche[3] luit doucement dans la pénombre.

« Comment t'est venue l'idée de construire cette machine ? L'as-tu prise dans quelque livre ? Je croyais que tu ne savais pas lire ?

– Non, père, je ne sais pas lire et l'idée ne m'est pas venue d'un livre, mais en considérant une marmite sur le feu. L'eau qui bouillait en soulevait le couvercle. J'ai voulu utiliser la force de l'eau bouillante. J'ai construit d'abord un engin qui faisait tourner la roue de ma brouette au moyen d'un lien de cuir plat. Puis j'ai voulu faire plus grand. Je suis parvenu à mes fins, père, tu le vois, et je t'apporte ma machine. Tu es très vieux et très sage. Avec tes conseils, j'espère la rendre plus forte encore et plus utile, et en construire d'autres qui épargneront aux hommes, mes frères, beaucoup de leurs peines de chaque jour… »

---

1. **Forgeron** : ouvrier qui travaille les métaux.
2. **Rougeoie et halète** : prend une teinte rouge et émet un son saccadé.
3. **Patriarche** : vieil homme respecté pour sa sagesse ; il s'agit ici de François, dont les enfants ont repeuplé le monde après sa destruction.

Le forgeron tend ses deux mains en avant, en geste de don. Il est fier d'avoir construit cette merveille. Il est heureux de la donner à celui dont la sagesse fait le bonheur de tous. Son cœur est plein d'amour et de joie.

Mais il recule tout à coup. Dans la nuit, la voix du patriarche gronde plus fort que celle de la machine, et lui apporte les mots d'une terrible colère :

« Insensé ! crie le vieillard. Le cataclysme[1] qui faillit faire périr le monde est-il déjà si lointain qu'un homme de ton âge ait pu en oublier la leçon ? Ne sais-tu pas, ne vous l'ai-je pas appris à tous, que les hommes se perdirent justement parce qu'ils avaient voulu épargner leur peine ? Ils avaient fabriqué mille et mille et mille sortes de machines. Chacune d'elles remplaçait un de leurs gestes, un de leurs efforts. Elles travaillaient, marchaient, regardaient, écoutaient pour eux. Ils ne savaient plus se servir de leurs mains. Ils ne savaient plus faire effort, plus voir, plus entendre. Autour de leurs os, leur chair inutile avait fondu. Dans leurs cerveaux, toute la connaissance du monde se réduisait à la conduite de ces machines. Quand elles s'arrêtèrent, toutes à la fois, par la volonté du Ciel, les hommes se trouvèrent comme des huîtres arrachées à leurs coquilles. Il ne leur restait qu'à mourir…

« Père, père…, répète l'homme éperdu.

– Tais-toi ! Je ne te laisserai pas t'engager de nouveau, et tes frères derrière toi, sur cette route de malheur. Cette machine sera détruite. Hélas ! il faut que soit détruit aussi le cerveau qui l'a conçue. »

René Barjavel, *Ravage* [1943], Gallimard, « Folioplus classiques », 2007.

---

1. **Cataclysme** : catastrophe, bouleversement.

George Orwell, *1984*

Écrivain et journaliste britannique, George Orwell (1903-1950) publie en 1948 un roman d'anticipation dont il situe l'action à Londres en 1984. À la suite d'une guerre nucléaire, Big Brother a mis en place un régime totalitaire, assurant sa domination par le conditionnement et le contrôle permanent des individus. Ainsi, Winston Smith est arrêté par la Police de la Pensée, un organisme de répression, pour avoir enfreint les règles du régime. L'officier O'Brien est chargé de le « rééduquer ».

« Comment un homme s'assure-t-il de son pouvoir sur un autre, Winston ? »

Winston réfléchit :

« En le faisant souffrir, répondit-il.

– Exactement. En le faisant souffrir. L'obéissance ne suffit pas. Comment, s'il ne souffre pas, peut-on être certain qu'il obéit, non à sa volonté, mais à la vôtre ? Le pouvoir est d'infliger des souffrances et des humiliations. Le pouvoir est de déchirer l'esprit humain en morceaux que l'on rassemble ensuite sous de nouvelles formes que l'on a choisies. Commencez-vous à voir quelle sorte de monde nous créons ? C'est exactement l'opposé des stupides utopies hédonistes[1] qu'avaient imaginées les anciens réformateurs[2]. Un monde de crainte, de trahison, de tourment. Un monde d'écraseurs et d'écrasés, un monde qui, au fur et à mesure qu'il s'affinera, deviendra plus impitoyable. Le progrès dans notre monde sera le progrès vers plus de souffrance. L'ancienne civilisation prétendait être fondée sur l'amour et la justice. La nôtre est fondée sur la haine. Dans notre monde, il n'y aura pas d'autres émotions que la crainte, la rage, le triomphe et l'humiliation. Nous détruirons tout le reste, tout.

---

1. **Utopies hédonistes** : constructions imaginaires de sociétés dont la satisfaction des plaisirs serait le seul et unique but.
2. **Réformateurs** : personnes qui apportent de nouvelles règles, de nouvelles manières de penser pour changer une société.

Nous écrasons déjà les habitudes de pensée qui ont survécu à la Révolution. Nous avons coupé les liens entre l'enfant et les parents, entre l'homme et l'homme, entre l'homme et la femme. Personne n'ose plus se fier à une femme, un enfant ou un ami. Mais plus tard, il n'y aura ni femme ni ami. Les enfants seront à leur naissance enlevés aux mères, comme on enlève leurs œufs aux poules. L'instinct sexuel sera extirpé[1]. La procréation sera une formalité annuelle, comme le renouvellement de la carte d'alimentation[2]. Nous abolirons l'orgasme. Nos neurologistes y travaillent actuellement. Il n'y aura plus de loyauté qu'envers le Parti, il n'y aura plus d'amour que l'amour éprouvé pour Big Brother. Il n'y aura plus de rire que le rire de triomphe provoqué par la défaite d'un ennemi. Il n'y aura ni art, ni littérature, ni science. Quand nous serons tout-puissants, nous n'aurons plus besoin de science. Il n'y aura aucune distinction entre la beauté et la laideur. Il n'y aura ni curiosité, ni joie de vivre. Tous les plaisirs de l'émulation[3] seront détruits. Mais il y aura toujours, n'oubliez pas cela, Winston, il y aura l'ivresse[4] toujours croissante du pouvoir, qui s'affinera de plus en plus. Il y aura toujours, à chaque instant, le frisson de la victoire, la sensation de piétiner un ennemi impuissant. Si vous désirez une image de l'avenir, imaginez une botte piétinant un visage humain… éternellement. »

George Orwell, *1984* [1949], trad. de l'anglais par A. Audiberti,
Gallimard, « Folio », 1972.

Groupements de textes

1. **Extirpé** : anéanti, exterminé.
2. Dans le roman, le régime a mis en place un système de rationnement afin de contrôler la quantité et la qualité des produits alimentaires consommés par la population.
3. **Émulation** : désir.
4. **Ivresse** : ici, excitation extrême.

R. A. Wilson, « Le phénomène »

Dans cette nouvelle, reproduite ici en intégralité, l'écrivain américain Robert Anton Wilson (1932-2007) imagine un monde futur peuplé d'êtres d'un genre nouveau, divisés en deux catégories, les Génies et les Crétins. Il s'interroge ainsi sur les dangers d'un progrès scientifique mal maîtrisé.

Le Génie de service emmenait les cinq cents Crétins dont il avait la garde.

Il n'était pas content. Il avait dû interrompre un travail passionnant concernant les relations espace-temps pour s'occuper de leur « éducation ». C'était son tour, comme il n'y avait qu'un Génie pour cinq cents Crétins – proportion normale et régulière depuis un siècle.

Les Crétins le suivaient, dociles[1]. Ils marchaient en rangs de dix, baveux, goitreux[2], gardés par les Élites[3] : des hommes à six ou sept doigts, dont la crise épileptique[4] serait évitée par des piqûres données avant l'excursion.

Ils s'approchaient du bâtiment.

« Halte ! » fit le Génie.

Les Crétins s'arrêtèrent net.

« Vous entrerez par groupes de cinquante. Vous ne parlerez pas. Vous le regarderez. Vous le regarderez bien. »

C'était idiot. Le Génie ne croyait pas du tout à la théorie de Flexton, d'après laquelle les gènes peuvent être influencés par la vue d'un objet ou d'un individu.

« Regardez le Phénomène ! »

Le Phénomène se tenait sur une estrade. Il n'avait ni goitre ni la moindre excroissance[5] et son corps était net de toute anomalie, il ne bavait ni ne louchait.

---

1. **Dociles** : obéissants.
2. **Goitreux** : ayant un goitre, c'est-à-dire un gonflement important du cou.
3. **Élites** : minorité de personnes reconnues pour leurs qualités naturelles, intellectuelles ou morales.
4. **Crise épileptique** : crise de convulsions liées à une maladie neurologique.
5. **Excroissance** : grosseur à la surface du corps.

Il bricolait. Le Génie ne savait pas quoi. Certainement rien d'extraordinaire.

Le haut-parleur répétait sans cesse :

« Regardez-le bien. Il est le dernier homme normal. Ni un Crétin ni un Génie. Il est tout simplement dans l'état physique et psychique de l'Homme d'avant l'époque des expériences nucléaires. Regardez-le bien. Vos arrière-petits-fils lui ressembleront peut-être, si vous le regardez bien. Imprégnez-vous de sa forme, de ses mouvements. C'est le dernier homme normal sur la Terre. »

Les Crétins défilaient en silence.

« Regardez-le bien, regardez-le bien ! hurla le haut-parleur. Comme on ne fait plus d'expériences nucléaires, la quantité de Strontium 90 et de Calcium 14 n'augmentera plus. On espère qu'au cours des siècles ces toxines disparaîtront de l'atmosphère. Regardez-le bien. Peut-être, votre arrière-petit-fils… »

Les Crétins bavaient, boitaient, gloussaient et défilaient docilement. Ils ne regardaient qu'à peine, ils ne comprenaient rien, rien…

« Temps perdu, pensa le Génie de service. Les Crétins ne comprennent rien. Ils ne comprendront jamais. Ils n'ont jamais rien compris. Ni avant ni après les expériences nucléaires. »

L'homme normal, le Phénomène, ne s'occupait pas d'eux. Le Génie le haïssait. Non seulement, parce qu'il perdait son temps à cause de lui. Mais aussi parce que c'était lui, l'homme normal, l'homme indifférent, qui avait été à l'origine de ce monde de cauchemar.

R. A. Wilson, « Le phénomène », in *L'Homme qui n'oubliait jamais* [1982]

Autour de l'œuvre

Interview de Pascal Mérigeau

Vous êtes l'auteur de la nouvelle* Quand Angèle fut seule... *Pourriez-vous vous présenter ?

Pascal Mérigeau (né en 1953)

Je suis né le 30 janvier 1953 dans les Deux-Sèvres, et, durant mon enfance, je passais mes vacances dans le petit village où vivaient mes grands-parents. C'est d'ailleurs ce village qui sert de cadre à la nouvelle que vous venez de lire. Plus tard, j'ai étudié la littérature et, comme je me suis très tôt passionné pour le cinéma, je suis devenu critique de cinéma.

Vous n'êtes donc pas seulement écrivain ?

En effet, je suis avant tout journaliste et critique de cinéma. J'ai commencé ma carrière en écrivant pour des revues spécialisées, puis pour *Les Nouvelles Littéraires* et le journal *Le Monde*, notamment. Je travaille aujourd'hui pour *Le Nouvel Observateur*, une revue hebdomadaire dans laquelle je signe une chronique sur le cinéma, des entretiens ainsi que des reportages qui me permettent de voyager régulièrement. Je suis également l'auteur d'un grand nombre d'essais et de biographies sur le cinéma et sur les grands réalisateurs comme Jean Renoir.

⏭ *Quelle a été votre source d'inspiration pour* Quand Angèle fut seule... *?*

Comme je vous l'ai dit, j'ai grandi dans un village semblable à celui dans lequel évoluent les personnages de la nouvelle. Sans tout comprendre à l'époque, puisque je n'étais qu'un enfant, j'ai entendu de nombreuses conversations parlant d'un homme marié qui rendait des visites régulières à sa maîtresse à l'entrée du village. Cela a donc constitué l'intrigue de ma nouvelle. Comme j'écrivais alors pour la revue *Polar*, l'idée d'un possible crime – car, si vous lisez bien, rien ne dit vraiment qu'Angèle a tué son mari – m'est ensuite venue au fil de la plume. Je n'avais pas tout en tête au moment de me lancer dans la rédaction, qu'il s'agisse du nom des personnages ou de la chute, car les idées viennent en écrivant !

⏭ *Pourquoi avoir choisi le genre de la nouvelle à chute ?*

Écrire des nouvelles à chute est assez amusant car ce genre repose sur deux principes fondamentaux. D'abord, une certaine technique d'écriture est nécessaire puisqu'il faut essayer de différer au maximum la révélation finale, en effectuant notamment des retours en arrière dans la chronologie, et en gardant pour la fin, voire pour la toute dernière phrase, l'information essentielle du texte. De cette composition dépend le plaisir du lecteur. D'autre part, le nouvelliste se plaît souvent à semer des indices dans son texte ou, au contraire, à dissimuler volontairement certaines informations, à entraîner sur de fausses pistes le lecteur, qui devient presque son complice.

Vous qui êtes passionné de cinéma, avez-vous déjà envisagé que votre nouvelle soit portée à l'écran ?

J'ai en effet été sollicité à plusieurs reprises pour des projets d'adaptation mais aucun n'a encore abouti car il est particulièrement difficile de transposer ce texte en images. Non seulement il n'y a pas beaucoup d'action, mais l'essentiel se joue dans la tête d'Angèle qui, au moment de la mort de son mari, retrace ce qu'a été sa vie. L'autre difficulté majeure est que l'une des fonctions du cinéma est de montrer au spectateur tout ce qu'il doit savoir pour comprendre une histoire, alors que la nouvelle repose justement sur ce qui doit rester caché et qu'il faut déduire, deviner.

Que pensez-vous du succès que votre nouvelle rencontre depuis des années ?

Cela m'étonne beaucoup ! Lorsque je l'ai écrite, j'étais loin d'imaginer que des générations d'élèves l'étudieraient. Je suis d'autant plus surpris lorsque je vois ma nouvelle figurer dans certains manuels aux côtés de textes qui sont pour moi de véritables chefs-d'œuvre.

Vous qui voyagez beaucoup grâce à votre métier, quel regard portez-vous sur le monde contemporain ?

D'après moi, depuis toujours, les hommes ont été reliés entre eux par le pouvoir de l'imaginaire. Autrefois, il y avait des veillées populaires, lors desquelles se transmettaient des récits merveilleux, puis ce fut l'essor du roman au XIXe siècle, ou, plus récemment, l'âge d'or du cinéma italien et hollywoodien. Or, il me semble que depuis l'avènement de la télévision, la notion d'imaginaire – et avec elle celle du récit – a complètement changé : il n'y a plus d'attente ni de réflexion, c'est le règne de l'immédiateté, de l'instantanéité. C'est justement la démarche contraire que propose le genre de la nouvelle à chute : la révélation ne vient qu'à la toute fin de l'histoire, et c'est au lecteur de remonter le fil du texte et d'en résoudre l'énigme.

Contexte historique et culturel

La Seconde Guerre mondiale

La Seconde Guerre mondiale éclate en septembre 1939, après l'invasion de la Pologne par l'Allemagne dirigée par Adolf Hitler. Arrivé au pouvoir en 1933, il a imposé dans le pays un régime totalitaire fondé sur une doctrine raciste et antisémite : le nazisme. Les opposants au régime nazi sont déportés dans des camps de concentration, comme l'évoque Jean-Christophe Rufin dans sa nouvelle *Garde-robe* (p. 61). Dès 1942, Hitler met en place l'extermination systématique des populations juives d'Europe, appelée la Solution finale.

Dans le même temps, la France, occupée par l'armée allemande après sa défaite de 1940 et dirigée par le gouvernement de Vichy, s'engage dans une politique de collaboration active avec l'Allemagne nazie. Mais, depuis Londres où il s'est exilé, le général de Gaulle organise le mouvement de la Résistance, lancé par son appel du 18 juin 1940. Avec l'aide de pays alliés, comme les États-Unis et la Grande-Bretagne, l'armée française parvient à libérer le pays et à remporter la victoire en 1945.

Des Trente Glorieuses à la mondialisation

Après la Seconde Guerre mondiale, la majorité des pays développés connaît une période de forte croissance économique de 1945 à 1973, appelée les Trente Glorieuses. Ce phénomène a permis l'émergence de la société de consommation, fortement encouragée par la publicité et par le développement des moyens de transport qui facilitent la circulation des marchandises. C'est cette société de consommation, pourtant remise en cause par le choc pétrolier de 1973 ou, plus récemment, par la crise économique mondiale de 2008, que critique Jacques Sternberg dans sa nouvelle *Le Credo* (p. 107).

La fin du XXe et le début du XXIe siècle marquent également le triomphe de la mondialisation. L'évolution des nouvelles technologies, la modernisation des moyens de transport et de communication, avec notamment l'arrivée d'Internet, ont en effet permis de multiplier les échanges à l'échelle internationale. La mondialisation est ainsi devenue un phénomène à la fois économique, politique, social et culturel qui a profondément modifié les relations entre les individus comme le souligne notamment Romain Gary dans sa nouvelle *J'ai soif d'innocence* (p. 88).

L'art, témoin de la société contemporaine

Après le traumatisme de la Seconde Guerre mondiale, les artistes, témoins des bouleversements historiques et culturels, s'interrogent sur la manière de traduire la réalité. On assiste alors à l'émergence de nouvelles formes et de nouveaux sujets artistiques.

Ainsi, dans les années 1950, Andy Warhol ou Duane Hanson, appartenant au mouvement pop art, témoignent du rôle majeur de la société de consommation (➡ voir image reproduite au verso de la couverture, en fin d'ouvrage). Plus récemment, le street-art, qui utilise de nouvelles techniques picturales comme le graffiti, pose un nouveau regard sur la ville et sur les minorités culturelles qui la composent. L'art devient ainsi une arme pour défendre ou critiquer des idées liées aux évolutions de la société.

En littérature, on voit se développer de nouveau les formes brèves et un prix Goncourt de la nouvelle est même créé en 1974. Tout au long des XXe et XXIe siècles, ce genre narratif se diversifie, prenant parfois la forme d'apologues, c'est-à-dire de récits courts à visée argumentative. À travers leurs récits, les nouvellistes nous font ainsi partager leur réflexion sur le monde contemporain et sur la condition humaine.

Duane Hanson, *Supermarket Lady*, 1970.

Repères chronologiques

1933	**Arrivée d'Adolf Hitler au pouvoir en Allemagne.**
1939-1945	**Seconde Guerre mondiale.**
1945-1973	**Trente Glorieuses.**
1952	Pablo Picasso, *La Guerre et la Paix* (peinture).
1954-1962	**Guerre d'Algérie.**
1962	Andy Warhol, *Campbell's soup cans* (peinture). Romain Gary, *J'ai soif d'innocence*, *Les oiseaux vont mourir au Pérou.*
1963	Fredric Brown, *Cauchemar en gris*, *Fantômes et Farfafouilles.*
1966	Dino Buzzati, *Pauvre petit garçon !*, *Le K.*
1975	Romain Gary, *La Vie devant soi* (Prix Goncourt).
1983	Pascal Mérigeau, *Quand Angèle fut seule...*
1984	Claude Bourgeyx, *Lucien*, *Les Petits Outrages.*
1990	Jacques Sternberg, *Le Credo*, *Histoires à dormir sans vous.*
1994	Didier Daeninckx, *Le Reflet*, *Main courante.*
2001	**Attentat du 11 septembre aux États-Unis. Guerre d'Afghanistan.** Jean-Christophe Rufin, *Rouge Brésil* (Prix Goncourt).
2008	**Début d'une nouvelle crise économique mondiale.**
2009	Sylvain Tesson, *Une vie à coucher dehors* (Prix Goncourt de la nouvelle).
2011	Jean-Christophe Rufin, *Garde-robe*, *Sept histoires qui reviennent de loin.*

Les grands thèmes de l'œuvre

Un portrait critique de l'homme d'aujourd'hui

Un destin implacable

De sa naissance, mise en scène de façon inattendue *dans Lucien*, jusqu'à sa mort, évoquée par exemple dans *Quand Angèle fut seule…*, l'homme décrit dans les nouvelles du recueil ne semble pas maîtriser pleinement son destin.

En effet, emporté dans le cycle de la vie, à l'image du trajet ininterrompu de la particule dans la nouvelle de Sylvain Tesson, l'homme contemporain semble ne pouvoir échapper à un destin implacable et cruel. Ainsi, dans *Lucien*, Claude Bourgeyx place d'emblée la naissance sous le signe de la douleur physique (« douleurs épouvantables », « souffrance », « carcan », p. 10). Le personnage du grand-père atteint d'Alzeihmer dans *Cauchemar en gris* montre un être auquel la mémoire échappe, accablé de tristesse, et qui ne maîtrise plus le cours de sa vie (« Très vieux soudain, vieilli de cinquante ans en cinquante secondes », p. 29). Dans *Pauvre petit garçon !*, le personnage de Dolfi, moqué et maltraité par ses camarades, inspire d'abord de la pitié au lecteur, avant que la chute ne révèle sa véritable identité. Enfin, dans *J'ai soif d'innocence*, Romain Gary montre un être qui semble en quête d'absolu, mais qui se voit rattrapé par la tromperie, la cupidité et toutes les faiblesses de la nature humaine (« Je demeurai là, prostré, saisi par un profond, un invincible dégoût. Une fois de plus, le monde m'avait trahi. Dans les grandes capitales comme dans le plus petit atoll du Pacifique, les calculs les plus sordides avilissent les âmes humaines », p. 96).

Des défauts condamnables

À travers le portrait des différents personnages, les auteurs des nouvelles qui composent le recueil semblent en effet dresser la liste des défauts humains : de la simple susceptibilité, comme celle d'Ed et de Clara dans *La Crique*, à la jalousie, qui pousse par exemple Angèle au crime dans la nouvelle de Pascal Mérigeau, jusqu'à l'intolérance et au racisme du vieil homme aveugle du *Reflet*.

Ils dénoncent également l'abus de pouvoir dont font preuve certains individus, ainsi que le totalitarisme incarné par Adolf Hitler dans *Pauvre petit garçon !* et *Garde-robe*, ou par le général Pinochet et ses hommes dans *La Rédaction*. D'autres nouvelles permettent également à leurs auteurs de critiquer la cupidité qui semble animer les hommes, ou la superficialité qui guide leur conduite, comme le jeune homme dont la vie est conditionnée par des slogans publicitaires dans *Le Credo*.

Les personnages féminins ne sont pas davantage épargnés par la critique que les hommes : Clara (*La Crique*) et Angèle (*Quand Angèle fut seule...*), assassinent leurs époux, la vénale et hypocrite Taratonga (*J'ai soif d'innocence*) s'enrichit de façon malveillante alors qu'elle prétend n'avoir « qu'un but dans la vie : empêcher que l'argent ne vînt souiller l'âme des siens » (p. 91). Quant à la jeune fille du *Credo*, son souci de l'apparence physique et des tendances à la mode semblent réduire la femme à un être sans profondeur intellectuelle.

Une exclusion intolérable

Les nouvelles qui composent le recueil montrent par ailleurs que l'homme contemporain peine à trouver sa place dans la société, parmi ses semblables. Ainsi le personnage de Dolfi dans *Pauvre petit garçon !* est rejeté par ses camarades de jeu en raison de sa faiblesse physique (« Quand je vais jouer, ils se moquent de moi », p. 44). Dans *Le Reflet*, c'est en raison de leur couleur de peau que le personnage principal exclut les candidats au poste de domestique (« virez-moi ça, c'est un Noir ! », p. 104). Enfin, le personnage du *Credo* est éconduit par la jeune femme simplement pour son manque de conformité aux diktats imposés par la publicité (« Mais ce n'est pas avec Contour Gillette que vous vous rasez, c'est avec Gillette G.II... Rien ne sera jamais possible... », p. 110).

Souvent déçus par la nature humaine, les personnages vont pour certains jusqu'à se retirer sur une île déserte, à l'image du narrateur de la nouvelle de Romain Gary, *J'ai soif d'innocence*, ou du personnage de Sylvain Tesson dans *Le Courrier* (« Emportez cela, capitaine, et laissez-moi. Je ne tiens pas trop à regagner ce monde », p. 103). En mettant en scène des personnages qui se tiennent volontairement à l'écart du monde, c'est une critique de la société contemporaine et de ses « fausses valeurs » (p. 88) qu'adressent ici les auteurs de ces nouvelles.

Regards sur le monde contemporain

Un regard lucide sur l'Histoire du XXe siècle

L'Histoire du XXe siècle occupe une place centrale dans plusieurs nouvelles du recueil. Certains personnages historiques sont en effet mis en scène, tel Adolf Hitler dans *Pauvre petit garçon !* ou Augusto Pinochet dans *La Rédaction*. Didier Daeninckx fait également allusion au dictateur allemand dans sa nouvelle *Le Reflet* (« Le porc, l'ordure, le führer... », p. 104).

Dans *Garde-robe*, Jean-Christophe Rufin énumère quant à lui certains des événements majeurs de la fin du XXe siècle. Dans un échange vif entre Reiter et son majordome, il dénonce ainsi tour à tour la barbarie des camps de concentration et d'extermination nazis, ainsi que les actes de terrorisme commis par certains groupes de rébellion comme les Tamouls au Sri Lanka (p. 62) ou le FLN en Algérie (p. 76).

Un regard critique sur la société de consommation

Les transformations économiques après la Seconde Guerre mondiale sont à l'origine du développement de la société de consommation (voir Contexte historique et culturel, p. 144-145). Ainsi que le déplore le narrateur de *J'ai soif d'innocence*, l'appât du gain régit les comportements et nuit à l'authenticité des relations entre les hommes (« Je rêvais de me sentir entouré d'êtres simples et serviables, au cœur entièrement incapable de calculs sordides [...] sans craindre que quelque mesquine considération d'intérêt ne vînt ternir nos rapports », p. 89).

Il en va de même pour la publicité, dont les effets malsains sont dénoncés par Jacques Sternberg dans *Le Credo*. En créant chez l'homme des besoins qu'il n'a pas, en l'encourageant à consommer toujours plus de produits de marques, la société de consommation éloigne l'individu des plaisirs simples, désintéressés et authentiques.

Un regard attendri ou plein d'humour pour dénoncer des sujets graves

Les auteurs du recueil portent parfois sur le monde d'aujourd'hui un regard attendri ou plein d'humour pour dénoncer des sujets graves. Certains recourent ainsi à un humour distancié comme Dino Buzzati, qui met en scène Adolf Hitler en enfant persécuté, et l'affuble du surnom affectueux de « Dolfi ». Didier Daeninckx dénonce quant à lui le racisme par le biais de la satire en faisant du vieil aveugle une sorte d'« arroseur arrosé » (« Un Noir à l'air terrible lui faisait face. [...] "Qu'est-ce que ça veut dire ! Foutez-le dehors..." [...] "Alors il faut que vous sortiez..." », p. 106).

Aussi, si certains personnages ou certaines situations sont souvent pathétiques, à l'image du vieil homme de *Cauchemar en gris* ou du cycle de la vie raconté dans *La Particule*, ils n'en sont pas moins touchants. Certains textes mettent par ailleurs en avant les qualités des personnages et des valeurs qu'ils incarnent : la générosité de la femme qui fait don de son sang au brahmane dans *La Particule*, la résistance pacifique de Pedro dans *La Rédaction*, ou encore le respect des Droits de l'homme revendiqué par Reiter dans *Garde-robe*.

Vers l'écrit du Brevet

L'épreuve de français du Diplôme national du Brevet dure trois heures. Le sujet se compose de deux parties. La première partie est constituée de questions sur un texte, d'un exercice de réécriture et d'une dictée. La deuxième partie est une rédaction.

SUJET

Dans cette nouvelle extraite du recueil Main courante, *paru en 1994, Didier Daeninckx (né en 1949) aborde la question du racisme de manière étonnante.*

Toujours en train de gueuler, d'éructer[1], d'agonir[2] !

Derrière son dos, ça fusait, les insultes. Le porc, l'ordure, le führer[3]… Impossible de tenir autrement. Les courbettes par-devant, les salamalecs[4], le miel, le cirage. Et l'antidote[5] dès la

1. **Éructer** : s'exprimer de façon très bruyante.
2. **Agonir** : accabler quelqu'un d'injures.
3. **Le führer** : surnom qui désigne Adolf Hitler (1889-1945), dirigeant allemand qui instaura, de 1933 à 1945, un régime totalitaire, le IIIe Reich, et une doctrine raciste et antisémite, le nazisme.
4. **Courbettes, salamalecs** : marques de politesse excessives (familier).
5. **Antidote** : remède.

porte franchie. Apprendre à sourire dans le vide en serrant les dents. Le pire c'était les premiers temps, quand on arrivait à son service, alléché par le salaire de mille dollars nourri-logé... Il vous laissait approcher en vous regardant de ses yeux morts, et vous plaquait les mains sur le visage, vérifiant l'ourlé[1] des lèvres, l'épatement[2] du nez, le grain de la peau, le crépu des cheveux. Au moindre doute le vieux se mettait à hurler de dégoût.

« Enfant de pute, virez-moi ça, c'est un Noir ! »

Le type y allait de sa protestation.

« Non monsieur, je vous jure... »

Mais ça ne servait à rien. Il repartait plein d'amertume[3], un billet de cent dollars scotché sur la bouche, incapable de comprendre qu'il était tombé du bon côté et que l'horreur attendait les rescapés surpayés de la sélection.

L'aveugle habitait un château construit à flanc de colline, à quelques kilomètres de Westwood[4], et toute la communauté vivait en complète autarcie[5] sur les terres environnantes, cultivant le blé, cuisant le pain, élevant le bétail. Le vieux ne s'autorisait qu'un luxe : l'opéra et les cantatrices[6] blanches qu'il faisait venir chaque fin de semaine et qui braillaient[7] toutes fenêtres ouvertes, affolant la basse-cour.

Il ne dormait pratiquement pas, comme si l'obscurité qui l'accompagnait depuis sa naissance lui épargnait la fatigue. Ses gens lui devaient vingt-quatre heures quotidiennes d'allégeance[8]. Le toubib[9] vivait en état d'urgence permanent et tenait grâce aux cocktails de Valium et de Témesta[10] qu'il ingurgitait matin midi et soir. Le vieux prenait un malin plaisir à l'asticoter[11],

---

1. **Ourlé** : forme, volume.
2. **Épatement** : largeur, épaisseur.
3. **Amertume** : tristesse, déception.
4. **Westwood** : ville du New Jersey, aux États-Unis.
5. **En complète autarcie** : sans échange avec l'extérieur.
6. **Cantatrices** : chanteuses d'opéra.
7. **Braillaient** : criaient d'une voix assourdissante.
8. **Allégeance** : obéissance, soumission totale.
9. **Toubib** : médecin (familier).
10. **Valium, Témesta** : tranquillisants.
11. **Asticoter** : irriter, énerver (familier).

contestant ses diagnostics, refusant ses potions. Ces persécutions[1] n'empêchèrent pas le docteur d'avertir son patient de la découverte d'un nouveau traitement qui parvenait à rendre la
35 vue à certaines catégories d'aveugles. Le vieux embaucha une douzaine d'enquêteurs aryens[2] et leurs investigations établirent que le procédé en question ne devait rien aux Noirs.

On fit venir à grands frais la sommité[3] et son bloc opératoire. Le vieux se coucha de bonne grâce sur le billard et s'endormit
40 sous l'effet du penthotal[4]. Il se réveilla dans le noir absolu et demeura trois longs jours la tête bandée, ignorant si ses yeux voyaient ou non ses paupières.

Le chirurgien retira enfin les pansements. Le vieux ouvrit prudemment les yeux et poussa un cri terrible. Un Noir à l'air
45 terrible lui faisait face. Il se tourna vers le chirurgien, terrorisé.

« Qu'est-ce que ça veut dire ! Foutez-le dehors... »

Le toubib qui nettoyait les instruments s'approcha doucement de lui, posa la main sur son épaule et l'obligea à regarder droit devant lui.

50 « Alors il faut que vous sortiez... Ce que vous avez devant vous s'appelle une glace, monsieur : ceci est votre reflet. »

Didier Daeninckx, « Le Reflet », *Main courante* [1994].

---

1. **Persécutions** : mesures violentes et arbitraires prises à l'encontre de quelqu'un.
2. **Aryens** : d'origine aryenne, c'est-à-dire issus de peuples blancs d'Europe, considérés comme supérieurs selon certaines théories racistes reprises notamment par Adolf Hitler pour justifier le nazisme.
3. **Sommité** : personne réputée pour ses compétences, ici dans le domaine médical.
4. **Penthotal** : substance anesthésiante (aussi appelée sérum de vérité).

Première partie

Questions (15 points)

1. Qui est le personnage principal de cette nouvelle ? Relevez les termes employés par le narrateur pour le désigner. Que remarquez-vous ? **(1,5 point)**

2. Quel est le niveau de langue dominant au début de la nouvelle ? Que peut-on en déduire sur les relations entre les personnages ? **(1,5 point)**

3. a. À quelles vérifications systématiques le personnage procède-t-il avant d'employer un domestique ? **(1 point)**
b. Sur quel critère choisit-il ses employés ? **(1 point)**
c. Quel problème social l'auteur aborde-t-il ainsi ? **(1 point)**

4. En vous appuyant sur vos réponses aux questions précédentes, dites quels sentiments cet homme inspire à son entourage, d'une part, et au lecteur, d'autre part ? Relevez les procédés par lesquels le narrateur suggère ces sentiments. **(1,5 point)**

5. a. Quel est le point de vue narratif employé ? Appuyez-vous sur un relevé précis des éléments du texte pour répondre. **(1 point)**
b. Quel rôle joue le miroir dans ce texte ? **(1 point)**
c. Expliquez en quoi la fin du texte est particulièrement surprenante pour le personnage comme pour le lecteur ? **(1 point)**
d. En comparant le début et la fin du texte, expliquez en quoi le retournement de situation est ironique ? **(1 point)**

6. En vous appuyant sur votre propre lecture, proposez une explication au titre choisi pour cette nouvelle : *Le Reflet*. **(1,5 point)**

7. Quel est, selon vous, le message que l'auteur souhaite transmettre à ses lecteurs à travers ce texte ? Pensez-vous que la nouvelle soit un moyen efficace ? Justifiez votre réponse. **(2 points)**

■ ***Réécriture*** **(4 points)**

« Il ne dormait pratiquement pas, comme si l'obscurité
qui l'accompagnait depuis sa naissance lui épargnait la fatigue.
Ses gens lui devaient vingt-quatre heures quotidiennes d'allégeance. »

Réécrivez ce passage en remplaçant « il » par « ils » et en transposant le texte au présent de l'indicatif. Vous ferez toutes les transformations nécessaires.

■ ***Dictée*** **(6 points)**

Votre professeur vous dictera un extrait de la nouvelle de Dino Buzzati, *Pauvre petit garçon!* pages 44-45, lignes 61-74.

Deuxième partie

Vous traiterez l'un des deux sujets au choix.
L'utilisation d'un dictionnaire de la langue française est autorisée.

■ ***Sujet d'imagination*** **(15 points)**

Rédigez la suite de cette nouvelle.
Après avoir découvert son reflet dans le miroir, le vieil homme rentre chez lui et retrouve ses employés. Imaginez leurs réactions. Votre texte, d'une cinquantaine de lignes, présentera les différents sentiments des personnages et devra contenir un passage dialogué.

■ ***Sujet de réflexion*** **(15 points)**

Pensez-vous que l'apparence physique joue une part importante dans nos relations avec les autres ?
Vous organiserez votre réflexion de manière rigoureuse, dans un développement d'une cinquantaine de lignes, en vous appuyant sur des exemples précis et variés.

Fenêtres sur…

Des ouvrages à lire

Des nouvelles sur le monde contemporain

• Julio Cortázar, *Les Armes secrètes* [1959], trad. de l'espagnol par L. Guille, Gallimard, « Folio », 2003.
Cinq histoires peu banales qui se déroulent en banlieue parisienne, où se mêlent lutte des classes, considérations artistiques et névroses de l'Homme contemporain.

• Andrée Chedid, *L'Artiste et autres nouvelles* [1978-2002], Librio, 2003.
Des échecs de l'existence aux merveilles du quotidien, ce recueil rassemble dix nouvelles écrites par Andrée Chedid entre 1978 et 1992.

• Didier Daeninckx, *Leurre de vérité et autres nouvelles* [1992], Gallimard « Folio 2 € », 2002.
Un recueil de nouvelles, aussi divertissantes que cruelles, sur la télévision et ses dérives.

• Ray Bradbury, *… mais à part ça tout va très bien* [1996], trad. de l'anglais par H. Collon, Gallimard, « Folio », 1999.
Des nouvelles teintées d'humour et de poésie, en réponse aux grandes interrogations de la fin du XXe siècle.

• Tonino Benacquista, *La Boîte noire et autres nouvelles* [2001], Gallimard, « Folio 2 € », 2002.
Cinq nouvelles qui mettent en scène des individus aux prises avec leur destin, leur mémoire, leurs échecs et leurs réussites.

Des nouvelles policières

• Roald Dahl, *Coup de gigot et autres histoires à faire peur* [1956], trad. de l'anglais par H. Barbéris et É. Gaspar, Gallimard Jeunesse, « Folio junior », 2007.
Ce recueil rassemble plusieurs nouvelles, pleines de suspense et d'humour, écrites par l'écrivain britannique Roald Dahl.

• Fred Vargas, *Coule la Seine*, J'ai lu, « Policier », 2005.
Ces trois nouvelles policières mettent en scène le commissaire Adamsberg qui doit faire face à des personnages plus qu'originaux.

Des nouvelles fantastiques et de science-fiction

• Fredric Brown, *Lune de miel en enfer* [1958], trad. de l'anglais par J. Sendy et T. Day, Gallimard, « Folio SF », 2007.
Des nouvelles de science-fiction où martiens et machines à remonter le temps donnent à voir le monde autrement.

• Philippe Claudel, *Les Petites Mécaniques* [2003], Gallimard, « Folio », 2004.
Treize nouvelles qui font voyager dans le temps et flirtent avec le fantastique pour révéler la fragilité de nos existences.

Des films à voir

(Les œuvres citées ci-dessous sont disponibles en DVD.)

• Charlie Chaplin, *Les Temps modernes*, 1936, noir et blanc.
Cette comédie dramatique est le dernier film muet de son réalisateur qui met en scène le personnage de Charlot, qui lutte pour survivre dans l'Amérique industrialisée des années 1930.

• **Michel Gondry, *La Lettre*, 1998, court-métrage, noir et blanc.**
Stéphane est amoureux de sa camarade de classe Aurélie, dont le portrait orne sa chambre. Il sollicite l'aide de son grand frère pour lui déclarer sa flamme, mais Aurélie lui remet une lettre juste avant de partir en vacances avec sa famille.

• **Peter Weir, *The Truman Show*, 1998, couleurs.**
Truman Burbank, incarné par Jim Carrey, est une star de télé-réalité malgré lui: depuis sa naissance, son monde est un gigantesque plateau de tournage et les personnes qui l'entourent ne sont que des comédiens. Lui seul ignore la réalité...

Des œuvres d'art à découvrir

Histoire des arts

(Toutes les œuvres citées ci-dessous peuvent être vues sur Internet.)

• **René Magritte, *La Reproduction interdite*, 1937, musée Boijmans van Beuningen, Rotterdam, Pays-Bas.**
Ce tableau du peintre surréaliste belge René Magritte représente un homme de dos qui contemple son reflet dans un miroir. Il révèle que l'art n'est pas un miroir de la réalité mais seulement un reflet...

• **JR, *Women are Heroes*, 2008, Rio de Janeiro, Brésil.**
Le photographe et artiste de rue français JR a rendu hommage aux femmes de Morro da Providencia à Rio de Janeiro. Habillant les murs de la favela de ses immenses photos de regards féminins, il a inversé le regard que l'on porte généralement sur ces quartiers.

@ Des sites Internet à consulter

• **http://short-edition.com/categorie/nouvelles**
Un site de nouvelles écrites par des auteurs amateurs, auquel les élèves peuvent contribuer: http://short-edition.com/categorie/nouvelles

• **http://www.academie-goncourt.fr/?article=1358369854**
Un site qui dresse la liste des lauréats du Goncourt de la nouvelle.

Dans la même collection

CLASSICOCOLLÈGE

14-18 Lettres d'écrivains (anthologie) (1)
Contes (Andersen, Aulnoy, Grimm, Perrault) (93)
Douze nouvelles contemporaines (anthologie) (119)
Fabliaux (94)
La Farce de maître Pathelin (75)
Gilgamesh (17)
Histoires de vampires (33)
La Poésie engagée (anthologie) (31)
La Poésie lyrique (anthologie) (49)
Le Roman de Renart (50)
Les textes fondateurs (anthologie) (123)
Neuf nouvelles réalistes (anthologie) (125)
Jean Anouilh – *Le Bal des voleurs* (78)
Guillaume Apollinaire – *Calligrammes* (2)
Honoré de Balzac – *Le Colonel Chabert* (57)
Béroul – *Tristan et Iseut* (61)
Albert Camus – *Le Malentendu* (114)
Lewis Carroll – *Alice au pays des merveilles* (53)
Driss Chraïbi – *La Civilisation, ma Mère !...* (79)
Chrétien de Troyes – *Lancelot ou le Chevalier de la charrette* (109)
Chrétien de Troyes – *Yvain ou le Chevalier au lion* (3)
Jean Cocteau – *Antigone* (96)
Albert Cohen – *Le Livre de ma mère* (59)
Corneille – *Le Cid* (41)
Didier Daeninckx – *Meurtres pour mémoire* (4)
Dai Sijie – *Balzac et la Petite Tailleuse chinoise* (116)
Annie Ernaux – *La Place* (82)
Georges Feydeau – *Dormez, je le veux !* (76)
Gustave Flaubert – *Un cœur simple* (77)
Romain Gary – *La Vie devant soi* (113)
William Golding – *Sa Majesté des Mouches* (5)
Jacob et Wilhelm Grimm – *Contes* (73)
Homère – *L'Odyssée* (14)
Victor Hugo – *Claude Gueux* (6)
Victor Hugo – *Les Misérables* (110)
Joseph Kessel – *Le Lion* (38)

Jean de La Fontaine – *Fables* (74)
J.M.G. Le Clézio – *Mondo et trois autres histoires* (34)
Jack London – *L'Appel de la forêt* (30)
Guy de Maupassant – *Histoire vraie et autres nouvelles* (7)
Guy de Maupassant – *Le Horla* (54)
Guy de Maupassant – *Nouvelles réalistes* (97)
Prosper Mérimée – *Mateo Falcone* et *La Vénus d'Ille* (8)
Molière – *L'Avare* (51)
Molière – *Le Bourgeois gentilhomme* (62)
Molière – *Les Fourberies de Scapin* (9)
Molière – *George Dandin* (115)
Molière – *Le Malade imaginaire* (42)
Molière – *Le Médecin malgré lui* (13)
Molière – *Le Médecin volant* et *L'Amour médecin* (52)
Jean Molla – *Sobibor* (32)
Ovide – *Les Métamorphoses* (37)
Charles Perrault – *Contes* (15)
Edgar Allan Poe – *Trois nouvelles extraordinaires* (16)
Jules Romains – *Knock ou le Triomphe de la médecine* (10)
Edmond Rostand – *Cyrano de Bergerac* (58)
Antoine de Saint-Exupéry – *Lettre à un otage* (11)
William Shakespeare – *Roméo et Juliette* (70)
Sophocle – *Antigone* (81)
John Steinbeck – *Des souris et des hommes* (100)
Robert Louis Stevenson – *L'Île au Trésor* (95)
Jean Tardieu – *Quatre courtes pièces* (63)
Michel Tournier – *Vendredi ou la Vie sauvage* (69)
Fred Uhlman – *L'Ami retrouvé* (80)
Paul Verlaine – *Romances sans paroles* (12)
Anne Wiazemsky – *Mon enfant de Berlin* (98)

Pour obtenir plus d'informations, bénéficier d'offres spéciales enseignants ou nous communiquer vos attentes, renseignez-vous sur **www.collection-classico.com** ou envoyez un courriel à **contact.classico@editions-belin.fr**

Cet ouvrage a été composé par Palimpseste à Paris.
Iconographie : Any-Claude Médioni.

Imprimé en Espagne par Novoprint (Barcelone)
Dépôt légal : mars 2015 – N° d'édition : 70119248-02/août15